Les Éditions du Boréal
4447, rue Saint-Denis
Montréal (Québec) H2J 2L2
www.editionsboreal.qc.ca

RETRAITE

Renaud Jean

RETRAITE

nouvelles

Boréal

Dépôt légal : 1er trimestre 2014
Bibliothèque et Archives nationales du Québec

Diffusion au Canada : Dimedia
Diffusion et distribution en Europe : Volumen

Catalogage avant publication de Bibliothèque et Archives nationales du Québec et Bibliothèque et Archives Canada

Jean, Renaud, 1982

Retraite

ISBN 978-2-7646-2290-2

I. Titre.

PS8569.E236R47 2014 C843'.6 C2013-942394-X

PS9569.E236R47 2014

ISBN PAPIER 978-2-7646-2290-2

ISBN PDF 978-2-7646-3290-1

ISBN ePUB 978-2-7646-4290-0

En station

On m'a affecté à la station de la Grande Aventure il y a maintenant dix ans.

La désignation de l'endroit est ironique puisqu'il ne se passe jamais rien ici. C'est un lieu intermédiaire, une sorte d'étape où je suis chargé d'orienter les clients de la compagnie – on les appelle les Aventuriers – dans la bonne direction.

Le bâtiment est constitué essentiellement d'un grand hall où les Aventuriers patientent, assis sur de durs bancs de bois ou marchant le long des fenêtres. Un ancien débarras me sert de chambre.

À l'extérieur, un quai à trois embranchements mène aux trains.

Située en rase campagne, la station est isolée de la ville la plus proche par plusieurs dizaines de kilomètres. Le départ hebdomadaire pour la Grande Aventure ayant lieu le vendredi matin, les gens arrivent en général le jeudi soir, mais beaucoup qui ont peur d'être en retard (beaucoup ont peur) surgissent le mercredi ou le mardi, parfois même le lundi. Il faut dire que le trajet se fait obligatoirement à pied, aucune route ne menant jusqu'ici. Certains campent en chemin, d'autres accomplissent le voyage dans la journée. Je les vois apparaître seuls ou par grappes à l'horizon, traînant avec eux un énorme équipement pour lequel ils ont dépensé des fortunes et qui ne leur servira à rien. Mal informés, ils ne savent pas, en effet, que l'espace réservé aux bagages est très limité et qu'ils devront abandonner l'essentiel de cet équipement. J'ai tenté plusieurs fois de communiquer avec la compagnie afin qu'elle corrige la situation, mais toutes mes requêtes sont restées sans écho. Ayant moi-même la responsabilité d'assumer les conséquences de cette négligence, j'ai donc choisi un lieu, à l'écart de la station, qui ferait office de décharge : c'est là que j'invite les Aventuriers à se débarrasser de leur attirail. Au fil des ans, une véritable montagne composite et colorée s'est formée de tout ce qu'ils laissent derrière. On y trouve une variété extraordinaire d'objets comme des havresacs, des tentes, des réchauds, des gourdes, des combinaisons, des casques, des harnais, des cordes, des bottes, des gants, des pagaies, des kayaks, des skis…

Une fois libérés de leurs bagages, les Aventuriers ont tendance à se regrouper dans le hall selon leur destination. Peu importe l'âge ou le sexe, le statut social ou la nationalité (ici, les différences tombent), ils fraternisent ensemble rapidement et engagent des discussions passionnées, confiant leurs espoirs, partageant leurs inquiétudes au sujet de ce qui les attend. L'accès à la Grande Aventure s'est beaucoup démocratisé dans les dernières années, et je ne doute pas que ce phénomène va encore s'accentuer. Alors que j'accueillais au début presque uniquement de jeunes hommes célibataires et vigoureux, je vois aujourd'hui arriver en grand nombre des mères de famille, des retraités, des étudiantes, des handicapés même. Cela est vraisemblablement l'effet d'une combinaison de facteurs, parmi lesquels doit être considérée la modification récente de l'image de marque de la compagnie. Il n'y a plus d'Aventurier type, mais une diversité de personnes se lançant dans la Grande Aventure pour une diversité de raisons. Méditant sur l'avenir, je me demande parfois ce qui arrivera à notre industrie. Qui sait si je ne verrai pas bientôt des enfants de quelques mois ramper jusqu'à la station pour partir à leur tour ?

Je ne me mêle pas beaucoup à la communauté des Aventuriers, préférant garder mes distances en tant qu'employé de la compagnie. Ils se passent très bien de moi, du reste, et s'organisent entre eux de la meilleure façon. Dans le hall, l'atmosphère est amicale : on est gai et généreux, les repas se prennent en commun, le partage de l'espace n'est jamais un sujet de discorde. Le soir venu, on s'installe comme on peut pour dormir, à demi allongé sur un banc, couché par terre ou blotti dans un coin. Conscient qu'on s'est engagé pour la Grande Aventure et non pour un séjour à l'hôtel, on ne se plaint pas, en général, des conditions de la station (si l'on exprime parfois le souhait que la compagnie fournisse au moins des couvertures, je réponds que je n'y suis pour rien et qu'à mon avis ça n'arrivera jamais). Lorsque je fais ma ronde, vers trois heures, je constate immanquablement que plusieurs des Aventuriers ne dorment pas, angoissés par la perspective du départ. Debout devant les fenêtres, ils fixent le fond de la nuit en songeant à l'inconnu qui les avalera. Ils ne sont plus aussi sûrs de vouloir y plonger. N'est-ce pas folie que de s'embarquer pour la Grande Aventure ?

Les premières lueurs du jour chassent toutefois les inquiétudes. Une énergie contagieuse envahit la station, et tout le monde s'anime peu à peu en prévision du départ. De la porte de ma chambre, j'observe cette activité désordonnée en buvant mon café. Elle me divertit une dernière fois avant la longue fin de semaine de solitude qui m'attend. Entre six et sept heures, les trains arrivent. Ce sont en fait des véhicules sans conducteurs comparables à ceux des montagnes russes des parcs d'attractions, constitués d'une série de wagonnets pouvant accueillir chacun quatre personnes. Ils viennent se positionner lentement le long des trois embranchements du quai. Ils sont vides, bien sûr, et exercent une fascination irrésistible sur les Aventuriers. J'invite bientôt ces derniers à sortir et à se mettre en rang. Un à un, docilement quoique avec une certaine nervosité, ils me présentent leur billet, que je composte avant de les orienter vers le bon train. Cette opération est la tâche essentielle de mon travail, ma raison d'être à la station : il est impératif que chaque Aventurier prenne place dans le train qui le conduira à la destination qu'il a choisie, c'est ce qu'on m'a répété à maintes reprises lors de ma formation – je ne l'oublierai jamais. Cependant, si je suis scrupuleux à cet égard, j'admets que je laisse souvent monter dans des trains, sur la seule foi de leur parole, des Aventuriers qui ont perdu leur billet. Il me semble que c'est là une attitude toute naturelle, bien que je sache que la compagnie ne l'approuverait certainement pas.

Après que j'ai rabattu les barres de sécurité

sur chacun, je me dirige vers une cage de verre située à proximité, d'où j'enclenche le mécanisme commandant le départ des trains (il s'agit simplement d'appuyer sur un bouton). Dans un silence solennel, les trois séries de wagonnets s'ébranlent alors en même temps. À très petite vitesse, elles progressent côte à côte sur une distance assez longue. Assuré que le départ s'est fait dans l'ordre, je ressors de ma cage et les regarde disparaître à l'horizon dans leurs directions respectives. Elles ont fini par s'écarter pour rejoindre l'une ou l'autre des destinations possibles de la Grande Aventure. À cet instant, il me semble que j'entends battre en moi le cœur des Aventuriers. Je ne les reverrai jamais et ne peux qu'imaginer ce qu'ils vont vivre. Je sais seulement qu'ils atteindront d'abord une autre station où tout commencera pour de vrai. Selon qu'ils ont préféré la destination du ciel, celle de la mer ou celle de la jungle, ils feront halte dans le lieu correspondant, une dernière étape avant le début de la Grande Aventure. La suite est incertaine. Quoi qu'elle prétende, il n'est pas sûr que la compagnie elle-même sache très bien dans quoi elle lance les Aventuriers.

La station ayant retrouvé son calme et plus rien ne devant advenir avant lundi, le reste de la journée s'écoule avec une lenteur exaspérante. Je fais un peu de ménage, je languis, je traîne. Je retourne m'allonger dans ma petite chambre. Las de mon travail, de ma situation, je me dis que je devrais partir à mon tour. La Grande Aventure me tente un moment. Je ferme les yeux et glisse dans un demi-sommeil où me traversent des visions de cosmos, de grandes profondeurs océaniques, de passages secrets ménagés à travers une végétation broussailleuse. Je rêve des étoiles du ciel et de la mer, de la flore et des fauves. Émergeant de ma sieste, je me sens doublement fatigué. Je songe à ma famille et à mes amis, à qui je rendais visite autrefois mais que je ne vois plus. Je songe à ma vie sexuelle, qui se résume à des rapports rarissimes, coupables du point de vue de la compagnie, avec des Aventurières dans mon triste réduit. Je songe à ma solitude, à ma misère. Je songe enfin que ma présence à la station n'est pas indispensable, qu'elle est même inutile, et je me demande pourquoi on me garde en poste.

Alors il me semble que j'exagère, que je ne connais pas ma chance.

Je sors me promener afin de me secouer. Revigoré par l'air du dehors, je sens que mes idées noires s'éclaircissent. Je goûte la paix de la campagne, la qualité de son silence. Je longe la station, le quai désert, les rails qui disparaissent au loin. Je reviens sur mes pas. Je me rappelle avec sérénité que ma place est ici, en marge de la Grande Aventure : les gens comme moi ne partent pas. Je vais inspecter la décharge, j'examine les derniers objets abandonnés. Je marche aux alentours en guettant l'horizon.

J'attends les prochains Aventuriers.

Trois visites

1

J'allais rendre visite à mon grand-père. C'était l'automne. La route serpentait entre les montagnes boisées des Laurentides. Je roulais dans la lumière kaléidoscopique qui filtrait à travers le feuillage des arbres. Par la fenêtre entrouverte, l'odeur de la terre montait jusqu'à moi. La radio diffusait une musique démodée, anachronique – parfaitement assortie à mon humeur.

Six mois plus tôt, il avait fallu installer mon grand-père, dont la santé déclinait, dans une maison de retraite. Tu verras, tu y seras bien, lui avait dit ma mère. Après plusieurs semaines d'une négociation tendue, mon grand-père s'était soumis à la décision de sa fille ; s'il tenait à son autonomie, il avait dû convenir qu'il n'était plus capable de s'en sortir seul. Un personnel d'encadrement verrait donc à assurer sa qualité de vie.

Résigné à être *encadré*, mon grand-père avait

toutefois refusé de quitter sa région natale pour se rapprocher de Montréal, où nous étions établis. Consciente de l'épreuve supplémentaire qu'un tel déracinement représenterait, ma mère n'avait pas insisté ; elle lui avait concédé le choix de la résidence, à trois cents kilomètres de chez nous. Nos visites à mon grand-père continueraient donc d'être rares. Je faisais d'ailleurs le voyage pour la première fois depuis son déménagement. Je m'étais annoncé la veille, par téléphone, et mon grand-père en avait paru heureux.

Je suis arrivé en début d'après-midi. Le village de mon grand-père ne se distinguait pas de tant d'autres dont l'attrait, pour le citadin, repose essentiellement sur leur offre marchande d'un terroir modernisé. Dans les boutiques de la rue principale alignées sur quelques centaines de mètres, on vendait toutes sortes de produits dont la valeur authentique était exaltée : produits de l'artisanat, produits de la ferme, produits dits *naturels* ou *biologiques*. Devant l'église, le modeste Musée de l'ancien magasin général était contigu à un restaurant champêtre et à un café-concert à l'ambiance bohème. Plus loin, une vieille grange faisait office de brocante. Le reste du village était constitué de bâtiments agricoles et d'habitations de campagne. Près de l'autoroute enfin étaient regroupés une station-service, un supermarché et une rôtisserie populaire.

Je me suis garé devant la boulangerie. À l'intérieur, dans un présentoir, des chocolats, des fromages, des confitures et des bouteilles de cidre donnaient un aperçu de la production locale. Je suis ressorti avec de simples croissants.

Remonté dans la voiture, le plan de la région dans une main, je me suis orienté sans difficulté jusqu'à la résidence, isolée en forêt au bord d'un petit lac. Je me suis garé dans le stationnement presque désert et je l'ai considérée un moment. C'était un bâtiment de brique rose saumon sur la façade duquel, inscrit en lettres d'argent, le mot *Manoir* désignait incorrectement l'endroit.

Un vieillard emmailloté dans une couverture somnolait près de l'entrée, dans son fauteuil roulant, entre une poubelle et une boîte aux lettres. Je me suis approché. La porte était verrouillée et surmontée d'une caméra de surveillance. Quoique agacé, j'ai sonné en essayant de me composer un visage innocent.

À l'accueil, sans même me jeter un regard, on m'a fait signer un registre des visiteurs et on m'a indiqué la direction de la chambre de mon grand-père. Je me suis enfoncé dans un large corridor où se succédaient des portes turquoise traversées de lignes diagonales noires qui ressemblaient à des éclairs. J'ai cogné à celle, située tout au fond, qu'une affichette identifiait au nom de mon grand-père. Elle était entrouverte. Après avoir patienté quelques secondes sur le seuil, j'ai supposé qu'il ne m'avait pas entendu et fait un pas hésitant dans la chambre.

Je l'ai vu, de biais, assis dans son fauteuil, qui regardait dans le vide.

Je me suis raclé la gorge. Il s'est retourné et a fait mine de se lever, mais j'ai l'ai rejoint avant qu'il n'ait le temps de terminer son mouvement. Nous nous sommes embrassés ; un peu gêné, il m'a invité à m'asseoir. J'ai tiré la seule chaise de la pièce, une chaise en rotin dont j'ai tout de suite et sans surprise éprouvé l'inconfort ; dans quelque position que je me plaçais – et je n'ai cessé, pendant un moment, de me placer et de me replacer –, je sentais les brins cassés du cannage qui m'écorchaient à travers mon pantalon. Je me suis finalement immobilisé dans une posture absurde. Soudain, j'ai offert à mon grand-père les croissants que j'avais achetés pour lui. J'avais oublié que je les tenais entre les mains. Il m'a remercié, puis il a mis de côté sur un guéridon le sac en papier ciré.

Il y a eu un long silence. J'ai observé la

chambre. Elle était petite. Des objets que j'avais toujours connus dans la maison de mon grand-père me paraissaient incongrus dans cette pièce anonyme. Ses choses se réduisaient désormais à bien peu, et ce peu néanmoins détonnait, ce peu était comme de trop. Mon grand-père a croisé et décroisé les jambes.

Je lui ai demandé de ses nouvelles. Tous deux peu enclins à la conversation, nous n'avions, de surcroît, jamais été bien proches. Il a évoqué des problèmes de santé, parlé de fatigue, laissé deviner son ennui ; je l'ai relancé en vain, ne parvenant pas à le faire s'exprimer davantage. Qu'y avait-il à dire de plus, en effet ?

Il a alors pris mollement l'initiative de l'échange, me demandant ce que je faisais – ce que je faisais dans la vie.

Ça, je le lui avais déjà dit, avant. Ne s'en souvenait-il pas ? Il est vrai que, chaque fois que je le lui expliquais, je m'embrouillais moi-même terriblement, jusqu'à ne plus savoir quelle était la nature, au juste, de mon occupation, et si elle avait un sens. J'ai refait l'exercice avec patience, mais le même phénomène s'est reproduit.

Sensible à mon embarras ou fatigué de m'entendre, mon grand-père a proposé de me faire visiter la résidence. J'ai accepté sans hésiter. Je l'ai aidé à se lever, lui ai tendu sa canne, puis nous sommes sortis lentement de la chambre. Il s'est appuyé à la rampe qui longeait le corridor, et j'ai réglé mon pas sur le sien. Nous avons marché côte à côte en restant silencieux. Opaques l'un à l'autre. Il était né en 1919. Cela me semblait fabuleux. J'ai pensé que, même en le questionnant pendant des heures, je n'approcherais jamais que de très loin la vérité de sa vie.

Nous avons traversé la cafétéria, déserte à cette heure de la journée. Un rideau de fer bloquait la vue de la cuisine. Mon grand-père m'a désigné la table où il s'asseyait pour manger, en compagnie de trois autres résidants, toujours les mêmes. J'ai interrogé mon grand-père sur la qualité des repas, mais il s'est contenté pour toute réponse d'une moue évasive.

Nous avons réemprunté le corridor sur quelques mètres avant de déboucher dans une salle de séjour, basse et sans fenêtres. Là encore, il n'y avait personne. Nous avons contourné un canapé, près duquel s'élevait une bibliothèque aux rayons garnis de vieux magazines, de livres pratiques, de romans à succès, de biographies de stars. À proximité, sur une table en coin, un gros écran d'ordinateur désuet était couvert d'une épaisse couche de poussière (on aurait cherché sans les trouver la souris, le clavier et l'ordinateur). Des photographies d'anciens résidants – c'est-à-dire, pour la plupart, qu'ils étaient morts – ornaient les murs dans des cadres dorés.

J'ai suivi mon grand-père, qui ne s'attardait pas.

Plus loin, il m'a montré une infirmerie, une chapelle, des bureaux. Nous sommes entrés dans un ascenseur. Punaisée dans la cage, une affiche annonçait les activités du mois d'octobre : soirée karaoké le 10, tournoi de boules le 17, sortie au village le 24, bal costumé le 31. Les portes se sont ouvertes sur le sous-sol, où une forte odeur de chlore m'a saisi à la gorge. Nous avons avancé dans un couloir aux parois vitrées à travers lesquelles j'ai aperçu, sur ma droite, une piscine de dimensions réduites et, sur ma gauche, une salle d'exercices. Personne ni d'un côté ni de l'autre, mais des objets de polystyrène flottants et des appareils de gymnastique au repos. Au fond du couloir, avant de revenir sur nos pas, nous avons fait le tour d'un débarras où des chaises et des tables pliantes étaient remisées.

La visite s'achevait. Tandis que nous remontions au rez-de-chaussée, j'ai deviné que mon grand-père se demandait comme moi quelle suite lui donner. J'ai jeté discrètement un coup d'œil à ma montre. Nous séparer dès maintenant aurait confirmé un peu rudement l'insuccès de notre rencontre. Je ne le souhaitais pas. Par bonheur, le chaud soleil dont le hall était gorgé a inspiré à mon grand-père l'idée d'une promenade à l'extérieur.

Après un détour par sa chambre, où il a pris manteau et chapeau, mon grand-père m'a guidé vers une porte de service dont il connaissait le secret. J'ai compris qu'elle lui permettait d'éviter de passer devant l'accueil, où le règlement exigeait que les sorties soient enregistrées. Cette incartade m'a plu, elle me paraissait absolument justifiée.

Dehors, j'ai offert mon bras à mon grand-père. Une allée de gravier, derrière la résidence, menait au lac et formait une boucle alentour. Il faisait beau. Nous ne rencontrions personne. Aux fenêtres des chambres, ai-je remarqué, les stores étaient baissés – l'heure de la sieste, sans doute. J'ai entendu au loin une sorte de croassement aigu, suivi d'un battement d'ailes.

Mon grand-père m'ayant signifié son désir de s'arrêter, nous nous sommes posés sur un banc. À nos pieds gisaient quantité de feuilles mortes. Nous avons regardé le lac, devant nous, qui frissonnait sous un vent léger. Sur la rive opposée, les arbres balançaient leurs branches à demi nues.

Nous ne disions rien. Soulagé que notre après-midi ait trouvé son second souffle, je regrettais toutefois mon incapacité à créer un lien avec mon grand-père. Je ne songeais pourtant à rien d'étroit ni de durable ; à un lien néanmoins – ténu peut-être, mais qui aurait servi de raccord entre son passé à lui et mon avenir à moi. Quelque chose comme un modeste pont suspendu au-dessus du temps. Et l'après-midi se serait écoulé dans un silence un peu mieux partagé.

Nous nous sommes relevés et avons repris notre marche. À chaque instant, je m'attendais à ce que l'inspiration nous saisisse, mon grand-père ou moi, mais rien ne venait. Le barrage mystérieux résistait. Levant la tête vers le ciel, j'ai finalement cédé à la tentation de commenter l'état de l'atmosphère. C'était trop peu, trop tard. Mon grand-père a marmonné une réponse inaudible. Je m'en suis voulu. J'avais mis du plâtre dans nos rapports.

Pour rentrer, il a fallu passer par la porte principale. Dans le hall, deux ambulanciers chargeaient sur une civière l'homme que j'avais vu à mon arrivée, somnolant dans une couverture ; il ne bougeait pas, et son visage était éteint. Profitant de l'agitation qui régnait devant l'accueil, nous nous sommes faufilés dans le corridor.

De retour dans sa chambre, j'ai annoncé mon départ à mon grand-père, qui n'en a paru ni surpris ni blessé. Nous nous sommes de nouveau embrassés. Au moment où je me dégageais, j'ai senti qu'il me retenait, ému, en me pressant le bras ; puis il m'a remercié d'être venu – ce à quoi je n'ai pas su répondre. Bouleversé, je l'ai quitté avec l'impression coupable d'avoir mal joué mon rôle.

Retraversant le village en direction de l'autoroute, j'ai considéré les boutiques de la rue principale en songeant qu'il n'y avait jamais eu, en moi, rien d'authentique.

2

Assis au fond de l'autobus, j'écoutais, l'air de rien, la conversation fébrile de deux jeunes filles qui se rendaient à une fête. L'été commençait. Il faisait chaud. Elles transportaient dans leurs sacs des bouteilles de jus de fruits alcoolisés. Elles parlaient de garçons qu'elles avaient rencontrés la veille, à La Ronde, en attendant de monter dans le Monstre.

Je m'efforçais de ne pas les regarder en me concentrant sur le côté de la rue. Je n'avais pas emprunté ce trajet depuis plusieurs années et luttais contre les tièdes souvenirs auxquels il me renvoyait. Qu'avais-je fait de mon adolescence ? La nuit tombait, chargeant la banlieue d'une électricité singulière qui excitait ma mémoire et mes sens. Une animation fiévreuse gagnait l'autobus à mesure que d'autres jeunes personnes, garçons et filles, montaient à bord.

Je suis descendu, seul, au coin d'un large boulevard.

À la demande de mes parents, absents pour quelques jours, j'allais garder leur chien à la maison. Caramel m'attendait. J'ignorais ce que je ferais au juste à part m'occuper de lui. J'apportais un livre que je n'avais pas envie de lire et un carnet de notes encore vierge, acheté plus tôt dans la journée sans intention précise. Les événements, sans doute, s'il y en avait, guideraient mon action.

J'ai marché sans me presser dans les rues désertes du quartier de mon enfance, des effluves de gazon fraîchement tondu me replongeant avec émotion dans le passé. Plus loin, j'ai entendu des cris et des rires, des éclaboussements joyeux qui ont réveillé sous mon palais, par quelque mystère synesthésique, un goût de limonade.

La maison de mes parents s'est bientôt dressée devant moi. Il s'agissait d'une propriété modeste, assez semblable à ses voisines, dont elle se distinguait cependant par le jardin japonais que ma mère avait aménagé à l'avant : jardin sec obéissant, dans sa composition, à des lois énigmatiques. Bordant la maison, une bande d'asphalte reliait ce monde à son contraire, à l'arrière, qui était le domaine sans secret de mon père et ressemblait à n'importe quelle cour de banlieue.

Je me suis approché, j'ai tiré ma clé et je suis entré.

Caramel m'a aussitôt sauté dans les jambes, petite boule de poils bâtarde, fidèle et affectueuse. Je me suis accroupi et je lui ai chatouillé les oreilles, en retour de quoi il m'a léché la main avec reconnaissance. Nos rapports étaient d'une parfaite simplicité. Je l'ai ensuite repoussé doucement et me suis engagé dans le couloir.

Sur le comptoir de la cuisine, ma mère avait laissé une note m'informant de ce qu'il y avait à manger. Je ne manquerais de rien. Je ne manquais ici jamais de rien. Le réfrigérateur, ai-je constaté par moi-même, débordait de bonnes choses. Je me suis d'ailleurs servi un reste de lasagne, même si je n'avais pas faim. Je cherchais peut-être à répondre ainsi à quelque absurde besoin de réconfort. Mes forces morales n'ont jamais été bien grandes.

Caramel a jappé pour réclamer sa pitance. Je suis allé remplir son bol d'une triste moulée; comblé, il a tourné sur lui-même en agitant la queue. Un moment, je l'ai observé pendant qu'il mangeait avec appétit, son être tout entier investi dans cette activité. Il ne faisait plus attention à moi, mâchant et déglutissant avec une concentration extraordinaire. Je lui ai jeté une moitié de biscuit.

Assis à la table de la cuisine, j'ai ouvert mon livre et tâché d'en commencer la lecture.

Ce n'était pas possible. Mon esprit, stupidement, butait à répétition sur les premières lignes.

Je me suis promené dans la maison, désœuvré, frôlant les meubles, touchant ici un bibelot, soulevant là un cadre sur un buffet. J'ai remarqué des détails nouveaux, des changements dans la décoration. Le séjour avait subi des transformations majeures : colonnes abattues, plancher reconstruit. Ma dernière visite remontait à Noël. Il ne semblait pas se passer six mois sans qu'on procède à des travaux de rénovation. Je ne comprenais pas cela – que tout soit toujours à refaire, qu'on n'arrive jamais à un état des lieux satisfaisant. La seule pensée d'une telle entreprise, perpétuellement recommencée, m'épuisait.

Au sous-sol, j'ai découvert qu'on avait converti ma chambre en salle de cinéma. J'avais quitté la maison sept ans auparavant en croyant que j'y aurais toujours ma place, ma place bien à moi, et qu'elle demeurerait inchangée. Je m'étais imaginé revenant m'y blottir, le temps d'une longue et douce convalescence, après un éventuel échec, social ou amoureux (cet échec n'était pas encore venu). Mes parents n'avaient pas dû réfléchir à cela, bien sûr, qui devaient supposer que j'étais lancé pour de bon dans la vie.

Deux fauteuils en cuir faisaient face à un immense écran de télévision encadré d'enceintes acoustiques. Sous l'écran, un meuble bas supportait des boîtiers métalliques, parmi lesquels j'ai cru reconnaître une console de jeux vidéo. Je me suis approché. Il s'agissait bien de cela ; il s'agissait même, ai-je constaté, d'un modèle sophistiqué, tout récent, avec lequel on jouait sans manette, grâce aux seuls mouvements du corps. L'image insolite de mes parents, quinquagénaires, agitant joyeusement les membres devant un écran me laissait perplexe.

Sur une étagère adjacente, des disques et des vidéocassettes étaient rangés sans ordre apparent. Parcourant la collection, je suis tombé sur des films de famille. Des étiquettes à moitié décollées et jaunies par le temps en spécifiaient le contenu : archives de vacances, de fêtes, de cérémonies, d'anniversaires lointains. Intrigué par ces documents dont j'avais oublié l'existence, j'ai pris une cassette et l'ai glissée dans le magnétoscope.

Installé dans l'un des fauteuils avec les télécommandes, j'ai mis en marche les appareils à distance.

Une image de dojo est apparue, tremblotante, dans une lente ouverture en fondu. Deux enfants se faisaient face sur un tatami ; j'étais l'un d'eux, j'avais dix ou onze ans. Mon adversaire et moi nous sommes empoignés et avons engagé un combat décousu. Derrière la caméra, mon père m'encourageait en criant mon nom (il usait, par ailleurs, sans modération de l'effet de zoom, plan éloigné et plan rapproché alternant sans jamais se fixer). Soudain, un peu favorisé par la chance, j'ai déséquilibré et renversé mon adversaire. L'image a vacillé, on a vu les chaussures de mon père, on a entendu des hurlements de joie. Ma mère et ma sœur ont traversé le cadre. J'ai accéléré le défilement de la bande. D'autres combats suivaient, gagnés ou perdus selon les hasards de la compétition. Un plan me représentait brièvement sur un podium, une médaille de bronze au cou. Il y a eu une coupure nette, quelques secondes de noir, et l'on était à l'extérieur, sur un terrain de soccer. La caméra ne me quittait plus ; on ne voyait que moi, courant, dribblant, passant le ballon, dans une suite hachée de séquences de longueur variable. J'ai regardé le reste du film sans plus toucher à la télécommande, tout entier absorbé, fasciné par le travail du temps sur ma propre personne – comme si j'avais oublié que je n'avais pas toujours été tel qu'aujourd'hui, désespérément atone.

Bientôt, la bande de la cassette ayant défilé jusqu'au bout, elle a émis un déclic, et l'écran a viré au noir.

Ces images s'étant succédé pendant près d'une heure, je me suis trouvé dans un état d'esprit très éloigné de celui de mon arrivée à la maison. Il me semblait que je venais de comprendre un défaut essentiel de mon existence. Je mesurais l'écart qui me séparait de mon enfance, pendant laquelle j'avais joué et transpiré, pendant laquelle je m'étais véritablement dépensé, et je me demandais par quel chemin trompeur j'étais passé à une attitude tout économique devant la vie, me conservant pour un avenir qui était sans réalité. Réduit à une sorte de pure conscience, agissant de manière générale avec la plus grande réserve, je n'éprouvais plus beaucoup de fortes sensations physiques dans mon activité quotidienne. Le sport me manquait soudain ; j'en regrettais la douleur et l'ivresse, l'envoûtement formidable. Où et quand mon corps s'animait-il, s'animait-il vraiment désormais – au point que je m'oubliais moi-même ?

Je suis allé remplacer la cassette par une autre, plus ancienne. Ma mémoire réveillée, mise en mouvement, je souhaitais en effet prolonger un peu ce voyage dans le passé.

Le séjour est apparu dans un plan fixe avec, dans le bas, la date du 25 décembre. Mon père avait posé sagement la caméra sur un trépied. Il l'a contournée et nous a rejoints, le reste de la famille, près du sapin de Noël, où étaient entassés d'innombrables cadeaux. J'ai regardé le long film sans accélérer la bande, scotché devant l'écran comme devant une fenêtre ouverte sur un espace-temps d'une désagréable étrangeté. Tout, dans l'image, me paraissait familier mais inexact, erroné. Le décor, nos visages, nos gestes, nos paroles me gênaient. Cependant, ma honte s'attachait surtout à ma propre personne, c'est-à-dire à l'enfant que j'avais été et que je découvrais détestable. Au lieu de me comporter envers ma petite sœur avec bienveillance, je la traitais avec une cruauté qui me déconcertait : je me suis vu l'injurier, puis tirer sur ses tresses, puis décapiter sa poupée. Avais-je donc vraiment fait autant de mal sans m'en rendre compte ?

Cette révélation que j'avais échoué dans mon rôle de grand frère m'a rempli de culpabilité, et j'ai lentement glissé du fauteuil tandis que je continuais, à l'écran, de gâcher Noël en me disputant bêtement avec ma sœur. À ce sentiment s'ajoutait la conscience de mon ingratitude à l'égard de mes parents, qui agissaient envers nous avec une bonté infinie. Le spectacle de leur tendresse m'arrachait presque des larmes. Avais-je donc ignoré tout ce temps ma chance exceptionnelle d'être leur fils ?

Le film s'est interrompu une demi-seconde, puis nous étions chez ma grand-mère, dans sa maison, réunis pour célébrer le Nouvel An. Mon père, qui tenait la caméra, la suivait sans relâche dans ses allers-retours, de la cuisine à la salle à manger, braquant sur elle son objectif avec une insistance maladroite ; condamnée par la maladie, ma grand-mère savait comme lui que sa fin approchait. Elle mourrait, de fait, quelques mois plus tard, et ce document que je regardais constituait sans doute la dernière trace de son existence. Quant à moi, je m'agitais à la table dans un parfait aveuglement.

Voir ma grand-mère vivante – la voir avec ses soucis de vivante, ses manies de vivante – m'a paru bizarre, vingt ans ayant suffi à la réduire, dans mon esprit, à une identité de spectre. L'image de son corps, à l'écran, m'a soudain rappelé que j'étais fait de matière. Des pensées de cimetière, de cercueil et de putréfaction m'ont accablé ; j'ai songé que, biodégradable, je me décomposerais moi-même, un jour, sous terre, dans une solitude inimaginable. La vérité de mes os, de mon squelette, excédait à peine celle de ma chair.

Affaissé sur le sol, un œil toujours rivé sur l'écran, je me suis replié en boule et j'ai cherché à pleurer sur mon sort. Le barrage de mes larmes, pour une raison inconnue, refusait de céder. Je me sentais sec comme du bois mort, vide comme l'Univers. Impuissant à interrompre, sinon à dévier, le cours de cette soirée de désarroi et d'amertume, de cet épuisant épisode de relâchement nerveux, je m'abandonnais à chacune de ses vagues avec une confiance sans cesse renouvelée dans ma misère.

Le film s'est terminé. Je n'ai pas eu le courage d'aller chercher une troisième cassette.

J'ai alors entendu Caramel, dont les griffes cliquetaient sur le bois de l'escalier, descendre prudemment au sous-sol. J'ai tourné la tête dans sa direction, nos regards se sont croisés, et, encouragé, il m'a rejoint en frétillant de la queue. Oh, Caramel, Caramel. Il arrivait à propos pour combler mon immense besoin de consolation.

Il est venu se blottir dans le creux de mon corps et a enfoui son museau mouillé dans mon cou, me signifiant que je n'étais pas seul, qu'il me comprenait. Je l'ai caressé. Le contact de sa vie animale m'a apaisé un peu, nous avons joué mollement. Je n'avais pas envie de me relever, pas tout de suite. J'avais besoin de temps. À l'intérieur de moi, des changements importants commençaient de s'opérer.

Je méditais mon rachat. Impatient de reconquérir l'estime de ma famille, je demanderais pardon à ma sœur dès le lendemain pour les années de tyrannie qu'elle avait endurées. Je tâcherais aussi de rendre leur amour à mes parents, de le leur rendre au centuple, d'une manière ou d'une autre. J'honorerais la mémoire de ma grand-mère.

Je rêvais d'une personnalité rénovée : meilleure, généreuse.

Je ferais de nouveau du sport pour retrouver ma vitalité perdue. Débarrassé de mes mauvaises habitudes, je renaîtrais avec une énergie ardente, un esprit clair, et je n'accomplirais plus que des actions nobles. Il s'agissait d'un programme ambitieux mais dont la nécessité s'imposait sans réserve. Après avoir vu qui j'étais, le misérable que j'étais, comment n'aurais-je pas cherché à modifier ma vie ?

Je suis remonté au rez-de-chaussée, le cœur un peu moins lourd. Dans la cuisine, sur la table, mon carnet neuf m'a fait signe, dans lequel, ai-je songé, je noterais mes ambitions, mes objectifs, de façon à cimenter mon projet.

À l'extérieur, la terrasse s'illuminait de

dizaines de lanternes. Caramel a tourné sur lui-même à trois reprises pour me communiquer son désir de sortir. Je me suis dévêtu et glissé dehors avec lui par la porte-fenêtre. De hautes haies de cèdres entouraient la cour, me préservant des regards indiscrets, et je me suis avancé dans la nuit chaude et pâle avec un très grand calme. Arrivé au bord de la piscine, je me suis immobilisé et j'ai attaché mon regard au fragile ondoiement de la lumière sur l'eau.

J'ai finalement renoncé à plonger et je suis descendu par l'échelle. L'eau était froide. Assis à quelques mètres de là, Caramel m'observait, craintif. J'ai marché vers le centre de la piscine, m'immergeant peu à peu, respirant l'odeur de chlore, puis je me suis retourné et laissé flotter sur le dos. Les étoiles, dans le ciel trop clair, pollué par la lumière des villes, ne se distinguaient pas. J'ai fermé les yeux. L'écho d'une fête me parvenait de loin.

3

Nous sommes sortis de notre appartement, Véronique et moi, et nous sommes engagés dans la rue.

La neige fondait partout sous la chaleur du soleil éclatant ; sur les trottoirs se formaient des rigoles joyeuses, zigzagantes. Le printemps s'installait. L'air sentait bon. Nous marchions avec légèreté, nos manteaux entrouverts.

Je n'en étais pas moins réticent à suivre Véronique, ce samedi matin, vers une ancienne usine de notre quartier transformée récemment en immeuble d'habitation. Une cinquantaine de lofts y seraient bientôt mis en vente, et Véronique, qui en avait étudié les prix, les plans, les commodités, souhaitait voir enfin, de ses yeux, à quoi ils ressemblaient. Les portes ouvraient à midi.

Elle parlait de plus en plus souvent de son désir d'« accéder à la propriété », désir auquel je ne donnais pourtant aucun écho. Sans le lui avoir jamais avoué, j'estimais préférable, en effet, pour ma part, de rester locataire. Mes raisons étaient confuses. Notre situation me convenait.

Après une marche silencieuse d'une dizaine de minutes, nous avons débouché devant l'ancienne usine. Il s'agissait d'un bâtiment de briques imposant, datant du début du siècle précédent, inoccupé depuis une décennie et dont les travaux de rénovation, que j'avais suivis distraitement lors de mes promenades, s'étaient échelonnés sur plus d'un an. L'ensemble, toutefois, de l'extérieur, avait encore des allures de chantier. Deux conteneurs débordant de déchets de construction attendaient d'ailleurs, à quelques mètres de la façade, près d'un monticule de neige sale, qu'on vienne les remorquer. Détruit par les machines et les ouvriers, le terrain alentour nécessiterait d'importants travaux d'aménagement.

Une longue file de visiteurs s'étirait de l'entrée jusqu'à la rue. Résignés, nous en avons rejoint la queue et avons commencé à patienter dans la boue. Véronique m'a reproché d'avoir fait la grasse matinée, m'imputant ainsi la responsabilité de notre position défavorable. Je ne lui ai pas répondu et me suis concentré sur les gens qui nous précédaient, formant pour l'essentiel de jeunes couples semblables au nôtre. Qu'ils soient là, si nombreux à partager le même désir d'accéder à la propriété, si nombreux prêts à lutter pour un peu d'espace, m'était désagréable. J'ai imaginé qu'ils avaient des vies professionnelles, des plans de carrière, des projets de retraite. Je me suis soudain senti très accablé.

Il a été midi ; un premier couple a pénétré dans l'immeuble. Nous avons avancé d'un pas.

Que faisais-je ici ? Pourquoi Véronique et moi ne rompions-nous pas ? Je ne déménagerais jamais avec elle dans un loft, c'était absurde. Nos existences respectives évoluaient selon des droites parallèles entre lesquelles nous n'avions plus le courage, depuis longtemps, de jeter des ponts. Être en couple avec Véronique me fatiguait. L'accompagner partout me fatiguait. Son travail lui demandait de nouer sans cesse de nouvelles relations dans différents milieux, et elle passait de colloques en cocktails avec une aisance monstrueuse. L'étendue de son réseau social m'effrayait. D'ailleurs, je n'acceptais plus aussi souvent qu'au début ses invitations à sortir. Nos liens se distendaient. Ne le voyait-elle pas ?

Dans un soupir, elle m'a pris le bras amoureusement. Un peu surpris, comprenant qu'elle avait fini de bouder, je lui ai souri pour sceller notre réconciliation. Elle s'est encore rapprochée et a appuyé la tête contre mon épaule. Mes mauvaises pensées se sont aussitôt dissipées. Notre tendresse m'émouvait. Ne nous entendions-nous pas plutôt bien, en somme, et n'avais-je pas exagéré l'ampleur de nos difficultés ?

Nous avons de nouveau fait un pas en avant. La file se prolongeait désormais loin derrière nous, et je plaignais les gens qui s'y trouvaient à la fin. Certains piétinaient d'impatience, mais la plupart se consolaient en tendant leur visage au soleil. Le printemps calmait les esprits. À quelques mètres de nous, dans une zone moins boueuse, plus blanche, des enfants essayaient de fabriquer un bonhomme de neige. Ils n'y parvenaient pas vraiment.

Nous avions parlé, Véronique et moi, une fois, du sujet des enfants. Elle n'en voulait pas. Moi non plus, mais ce n'était pas une raison. Il en fallait peut-être. Dans un moment d'étourderie, je lui avais exprimé mon sentiment persistant d'insuffisance et le besoin que j'éprouvais d'un prolongement. La paternité serait une manière de surmonter mon immaturité congénitale. Selon mon hypothèse, en effet, on ne devenait adulte qu'en engendrant un enfant plus enfant que soi. Véronique avait ri, me confirmant qu'elle ne me laisserait jamais la féconder – ce dont, bien sûr, j'avais été secrètement soulagé. Notre situation me convenait, notre situation me convenait bien.

Les enfants ont abandonné leur projet de bonhomme de neige et rejoint leurs parents. Une demi-heure a passé. Les visites s'accéléraient. Nous avons bientôt été devant la porte.

Un jeune homme vêtu d'un costume ajusté, les cheveux lustrés, souriant et énergique, nous a priés de le suivre à l'intérieur, et nous avons avancé avec lui dans un hall lumineux. Il nous a ensuite guidés dans un corridor plus sombre où des peintres s'activaient ; nous avons marché sur une longue toile blanche étendue sur le sol, contourné une échelle, enjambé du matériel. Entrés dans un ascenseur, le temps de nous élever dans l'espace, immobiles, nous avons gardé un silence gêné. À l'étage, tous les trois libérés, respirant mieux, reprenant notre marche, le jeune homme nous a demandé ce que nous faisions dans la vie. Véronique, qui ne redoutait nullement ce genre de question, lui a répondu sans détour. Je me suis montré évasif.

Situé en coin, orienté vers le sud, le loft où l'on nous a introduits était baigné d'une lumière abondante. Les deux parois qui donnaient sur l'extérieur, complètement vitrées, s'élevaient haut entre des murs de briques. L'ensemble, meublé et décoré avec un minimalisme étudié, d'un effet très froid malgré le soleil qui pénétrait à flots dans l'immense pièce, était conforme aux photographies léchées des magazines de design. Des appareils électroniques dernier cri, noirs et argentés, dont les fils étaient ingénieusement dissimulés, évoquaient des objets d'art à la signification mystérieuse. Au plafond, la tuyauterie apparente rappelait le caractère industriel du bâtiment. Le jeune homme nous a précédés dans la salle de bains, seule partie fermée de l'endroit, puis dans le coin cuisine : rêves d'inox et de verre, d'aluminium et de laque. Partout, les surfaces étincelaient – glacées, nues, intimidantes.

Je me suis éloigné insensiblement de Véronique et de l'homme, qui discutaient de la couleur des armoires et que je n'écoutais plus. J'ai traversé le loft avec lenteur, une main glissant le long d'une table, d'un canapé, d'une bibliothèque, et j'ai fini par me poster à son extrémité, dans le coin vitré, où le soleil m'inondait. Il y avait dehors un grand terrain vague ; il marquait la limite de notre quartier, l'un des plus pauvres de Montréal – j'allais m'y promener, parfois, le soir, par désœuvrement ou lassitude, méditant sur ma place incertaine en ce monde. Au milieu se dressait un petit arbre mort dans lequel pourrissait une cabane d'enfant abandonnée.

Le loft ne me plaisait pas. Je m'y sentais très oppressé. Mon intuition se confirmait que j'avais besoin, fondamentalement, de cloisons et d'ombre – d'un véritable lieu de retraite. Je ne m'imaginais pas vivant en permanence avec Véronique sans la possibilité de me soustraire à sa présence, de temps à autre, la nécessité s'imposant de la solitude, autrement qu'en allant m'isoler dans la salle de bains. Non, ce n'était pas possible. Comment les gens faisaient-ils donc pour partager ce genre d'espace ?

Regardant au loin, songeur, je me suis abîmé dans mon désespoir habituel.

Cependant, Véronique m'avait rejoint. Elle me tendait des papiers, me disait de les examiner. J'ai tourné la tête. Le jeune homme aux cheveux lustrés s'était éclipsé.

J'ai refusé les papiers et dit à Véronique que je voulais rentrer. Elle a paru abasourdie. Je lui ai expliqué que je ne me sentais pas bien – qu'il ne s'agissait pas, en somme, d'une bonne journée pour moi. J'ai jeté un coup d'œil à ma montre avant d'ajouter que c'était l'heure de manger de toute façon. Je me connaissais : il faudrait que je mange bientôt, sans quoi je souffrirais d'une céphalée violente.

Mes explications l'ont exaspérée. Elle m'a traité de « petit vieux ». Inspiré, je lui ai répondu que j'avais, en effet, à la naissance, hérité d'une « vieille âme ». Elle a esquissé une espèce de sourire. Je n'ai alors pas hésité à l'inviter au restaurant – ce qu'elle a volontiers accepté, mais qui n'a pas suffi, je l'ai bien vu, à lui faire oublier le désappointement que je lui causais.

Le jeune homme patientait près de la porte, le nez dans un dossier. Il nous a reconduits à la sortie.

À l'extérieur, le nombre de visiteurs n'avait pas diminué. Nous nous sommes dirigés mécaniquement, sans dire un mot, vers le restaurant préféré de Véronique, situé quelques rues plus loin. Le temps s'était encore réchauffé ; j'ai enlevé mon manteau et l'ai jeté sur mon épaule. J'ai deviné que Véronique, tête basse, réfléchissait, qu'elle réfléchissait à une question très sérieuse. Quant à moi, je n'allais plus jusque-là. Je me reposais un peu. Je respirais enfin. Je m'oubliais dans l'activité désordonnée des passants, dans la fuite incessante des automobiles.

Un instant, j'ai même cru que j'étais content.

Cela n'a pas duré. Je me suis renfrogné quand

j'ai vu la longue file qui s'étirait en bordure du restaurant. J'ai consulté Véronique du regard et compris qu'elle était déterminée à patienter, maintenant plus que jamais. Aussi n'ai-je pas osé lui proposer, craignant qu'elle ne le prenne mal, de rentrer tout de suite à l'appartement comme je l'aurais souhaité. Nous avons rejoint la queue en silence.

J'ai reconnu avec contrariété plusieurs couples aperçus plus tôt devant l'ancienne usine. Ils devaient discuter d'hypothèques ou de décoration, il me semblait que je le lisais sur leurs lèvres. J'ai redouté que Véronique n'aborde, elle aussi, l'un de ces sujets, mais il n'en a rien été. Elle n'a abordé aucun sujet. Moi non plus, malgré mon effort pour en trouver un, conscient qu'il fallait rectifier d'urgence la trajectoire de notre journée. Tant pis. La responsabilité de notre bonne entente n'incombait pas qu'à moi seul.

Une heure plus tard, assis face à face devant nos assiettes de crêpes, nous avons réussi à nous parler un peu. L'atmosphère du lieu, toutefois, ne favorisait pas le soutien d'une conversation prolongée. Il y avait du va-et-vient, du bruit, des serveurs, d'autres clients, je regardais partout, le pot de confiture sur la table me déconcentrait. J'ai critiqué l'endroit, puis l'idée même qu'il existe des restaurants. Je me suis ouvert à Véronique de mon regret de n'être pas déjà rentré.

Soudain, sans prévenir, elle s'est levée, a pris son manteau et s'en est allée.

Je n'ai pas eu le réflexe de la retenir et suis resté figé à ma place, interdit, devant mes rondelles de banane qui flottaient dans le sirop. Qu'avais-je dit ? J'ai déposé ma fourchette, hésité. J'ai cherché dans mes poches de quoi payer le repas. Les gens, autour, continuaient de manger sans se douter de rien. Il n'y avait pas eu de fracas, pas de véritable scène. J'ai quitté la table.

Dehors, nulle trace de Véronique. Je me suis dirigé vers notre appartement, mais je me suis aussitôt ravisé, comprenant mon erreur, et me suis éloigné au hasard. Je ne voulais pas d'un affrontement ; j'attendrais que le temps fasse son œuvre, que la crise perde toute actualité et se dénoue sans mon intervention. Dans quelques heures, tout serait oublié.

Tout serait-il oublié ? Il m'a suffi d'une minute pour commencer à en douter. Je ne me rappelais pas avoir jamais connu Véronique dans un état pareil, aussi lointaine et froide, aussi farouchement détachée de moi. Plus j'y réfléchissais, plus son attitude m'inspirait de la crainte.

Je me suis senti abandonné. J'errais sans

savoir à quoi m'en tenir, inquiet et comme à demi aveugle. Les passants et les automobiles me frôlaient, les immeubles fondaient sur moi. Tout mon être rapetissait, s'amenuisait. Je respirais des odeurs de pétrole et d'égouts. J'entendais des crissements, des grondements, des chocs, des détonations.

Soudain, j'ai remarqué que j'avais quitté le ciment des trottoirs; mes pieds foulaient un sol fangeux où ne subsistait plus aucune trace de neige. J'ai levé la tête et vu que j'avais abouti, par un chemin détourné, un chemin que je n'empruntais jamais, au terrain vague situé derrière l'ancienne usine. J'ai continué d'avancer, malgré l'épaisse boue qui maculait mes bottes, et j'ai pénétré dans l'ombre du bâtiment. Le soleil déclinait, ce serait bientôt le soir. Arrivé au pied de l'arbre à la cabane d'enfant, je me suis immobilisé et j'ai considéré les planches qui gisaient là, traversées d'innombrables clous tordus et rouillés; il y avait aussi, dispersés alentour, plusieurs bouteilles de bière, des boîtes en carton, un bidon d'essence.

J'ai fait quelques pas. Un préservatif abandonné, visqueux, dégoulinant de semence, m'a arrêté net. J'ai alors regardé vers l'ancienne usine, où il m'a semblé voir, à l'étage, dans le coin vitré du loft que nous avions visité, à l'endroit même où je m'étais tenu, la silhouette tournée vers moi de Véronique – mais je n'ai pas su s'il s'agissait bien d'elle ni si elle me fixait réellement, la distance nous séparant étant beaucoup trop grande. L'instant d'après, comme alertée, la silhouette avait disparu.

Sous le pôle

1

L'aérostat s'éloignait de la base. Le câble qui l'avait maintenu en place battait dans le vent, plusieurs mètres derrière, comme une longue queue souple et nerveuse. Le feu du mât d'amarrage, isolé sur le récif, continuait d'éclairer la nuit par intermittence.

Le jeune gardien dormait dans sa cabine et ne se doutait de rien, encore que l'ascension soudaine du zeppelin eût infléchi le cours de son rêve et alerté ainsi, au plus profond de sa conscience, dans l'espace crypté du songe, une part non négligeable de lui-même (poursuivi dans la plaine par une meute de chiens-loups, Borommé avait senti des ailes lui pousser et un souffle puissant le soulever jusqu'aux nuages ; métamorphosé en oiseau, il s'était enfui jusqu'à la mer, puis bien au-delà, échappant aux bêtes restées sur le rivage).

Non loin du mât, sur la terre ferme, entre les hangars, une ombre passa.

Au même moment, un choc formidable secoua l'aérostat. Basculant de sa couchette, Borommé eut la fugitive impression que ses ailes avaient fondu et qu'il s'abîmerait dans la mer; puis il se réveilla brusquement sur le sol de sa cabine, tout étonné de se trouver au sec.

Il entendit alors la sirène qui hurlait dans la coursive, se releva d'un bond et se projeta hors de la chambre. Tout tanguait. Il traversa le salon, la salle à manger et la cabine de navigation en s'appuyant tantôt aux murs, tantôt au mobilier, chancelant comme s'il avait été ivre. Parvenu enfin à la passerelle de commandement, il constata que le zeppelin n'était plus amarré à son mât et qu'il dérivait au-dessus des icebergs. Au loin, la base illuminée disparaissait peu à peu dans l'obscurité.

Il examina l'état des appareils. L'aiguille de l'altimètre, détraquée, oscillait de droite et de gauche; un filet de fumée noire s'échappait de la console principale; le téléphone de liaison ne fonctionnait plus. Que fallait-il faire? Borommé ignorait comment manœuvrer un zeppelin. Il ne savait même rien des grands dirigeables. La formation de trois heures qu'il avait reçue la veille se

limitait à la fonction de gardien de nuit qu'il devait occuper durant l'été, jusqu'à la rentrée des classes. Il appuya au hasard sur quelques boutons.

Mesurant l'ampleur de la catastrophe, Borommé courut en titubant jusqu'au salon, où il tira d'un placard un parachute qu'il se mit à enfiler maladroitement. Il avait honte de lui-même, de s'être assoupi à la première occasion, lors de la ronde initiale de son premier quart de travail, et, tandis qu'il essayait d'ajuster son harnais – confondant sangles et bretelles, poignée d'ouverture et boucle de réglage –, se débattait contre un pénible sentiment d'incompétence. Sa négligence, en plus de lui boucher toute perspective d'avenir, entraînerait la ruine de la société Poisson Volant.

Balancé par de violentes secousses, rendu nerveux par des bruits d'explosion provenant de la passerelle de commandement, Borommé commençait à désespérer de se tirer vivant du zeppelin.

Soudain, sa vue se brouilla. Il s'accrocha à une rampe et considéra, le temps d'un éclair, la pièce où il se trouvait. L'immobilité des fauteuils et des tables, fixés au plancher, lui sembla irréelle, truquée tel un décor de théâtre – et cela d'autant plus que l'endroit, qui sentait le cuir neuf, reproduisait jusque dans ses moindres détails l'intérieur d'un dirigeable allemand des années 1930.

Aucun voyageur, toutefois, n'y mettrait jamais les pieds.

De la banquise, un groupe de pingouins assista à l'embrasement du gigantesque aérostat. En quelques secondes, une puissante déflagration remplit le ciel d'une lumière furieuse. Le feu gagna tout le ballon et révéla l'ossature de la coque. Tôle et toile se froissèrent. De grands arcs de métal se tordirent en grinçant, faisant comme des grimaces douloureuses dans la nuit. Puis l'immense carcasse rougeoyante retomba lourdement et alla s'affaisser – brisée, crépitante – sur les bancs de glace.

2

Les futurs aéronautes logeaient dans une espèce de caserne froide et humide jouxtant les hangars.

Sous sa mince couverture de laine, Ferdinand Renard frissonnait en tâchant de retrouver le sommeil. Deux heures plus tôt, des aboiements lointains l'avaient réveillé en sursaut. Il se tenait sur le dos, les bras le long du corps, se contraignant à l'immobilité. Derrière ses paupières closes, son esprit était agité, en proie à des pensées mauvaises.

Pourquoi avait-il cédé à Suzanne ? Pourquoi avait-il accepté qu'elle transforme son projet d'aventure en ballon – son projet à lui, son projet personnel – en projet d'excursion familiale ? Il s'en voulait d'avoir, une fois de plus, abdiqué toute résistance en réglant son désir sur le sien. En vérité, partir en zeppelin avec les enfants – ses enfants à elle, ses détestables enfants – ne l'intéressait nullement. Il anticipait avec accablement le long dimanche qui s'annonçait, identique à tant d'autres qui l'avaient précédé : ce serait une succession de caprices, de disputes, de bouderies, de cris et de larmes de la part de Sacha et Bruno, qui ne savaient pas se tenir tranquilles et gâchaient ainsi prodigieusement chacune de leurs sorties en famille.

Renard eut soudain envie de les battre.

Il ouvrit les yeux. La rage qu'il avait au cœur cherchait une voie d'expression, lui échauffait le sang. Comprenant qu'il ne se rendormirait plus, il se glissa hors du lit, prit son porte-cigares et quitta le dortoir sur la pointe des pieds. Suzanne et les garçons n'avaient pas bougé.

Il avança en pyjama et en pantoufles dans le couloir de la caserne. Celui-ci, couvert de petites flaques d'eau sale et parcouru dans sa partie supérieure par des tuyaux de fonte, des fils électriques et des néons grésillants, menait à diverses pièces tout aussi glauques. À son extrémité, Renard se retira dans un fumoir aux murs jaunis qui sentait le tabac froid.

Dans l'espoir de distraire son insomnie et de se calmer les nerfs, il alluma un cigare, debout, devant une fenêtre qui donnait sur le stationnement de la base. Les fourgonnettes des sociétés de télévision qui y étaient garées ressemblaient, surmontées d'antennes et de coupoles, à de gros insectes au repos. Au sommet des longues tiges métalliques, dans le ciel noir, les feux de sécurité, comme des lucioles, se confondaient avec les étoiles.

Se rappelant qu'au déplaisir de la sortie en famille s'ajouterait celui de l'inauguration du dirigeable devant les caméras du monde entier, Renard se retourna et alla s'asseoir sur le canapé de similicuir usé placé dans un coin de la pièce.

Il prit un des prospectus qui traînaient sur une table basse. Il s'agissait du même dépliant promotionnel qu'il avait reçu par la poste et montré à Suzanne, six mois auparavant. La société Poisson Volant y vantait son offre de service dans le domaine du tourisme haut de gamme, conviant un public fortuné à des aventures d'un nouveau genre. Elle proposait pour l'heure deux types de voyage en ballon, auxquels se joindrait bientôt un forfait d'exploration sous-marine en bathyscaphe. Un vaste complexe hôtelier, lisait-on aussi, devait remplacer la caserne où logeraient les clients pendant la première année.

Par désœuvrement et bien qu'il en connût déjà tous les détails, Renard s'attarda à la description des deux types de voyage en ballon :

Forfait A – Odyssée en solitaire. Partez en ballon sans savoir où vous vous poserez. Laissez-vous porter par le vent, seul dans votre nacelle, et découvrez le Grand Nord comme vous ne l'avez jamais vu. Une fois redescendu, luttez contre les dangers de la vie sauvage, dans le froid, avec un minimum d'équipement. Grâce à notre système de repérage, nos sauveteurs qualifiés iront vous cueillir en hélicoptère... à un moment que vous ignorez !

Forfait B – Déjeuner dans les nuages. Avec vos parents, amis ou collègues, montez à bord d'un zeppelin et jouissez d'une sortie de cinq heures dans l'Arctique. Profitez du confort des cabines, du salon et de la salle à manger. Savourez la cuisine de notre chef en admirant les icebergs, véritables cathédrales de glace, qui se dressent sous vos yeux. Ce tour charmant, idéal pour célébrer un anniversaire ou tenir une réunion d'affaires, vous en mettra plein la vue !

Renard laissa retomber le dépliant sur la table et détourna le regard vers la fenêtre. La perspective de la matinée l'emplissait maintenant d'une franche amertume. Il ne songeait plus avec regret à l'extraordinaire odyssée à laquelle il avait renoncé, mais simplement qu'elle aurait été moins éprouvante que le déjeuner, autour duquel on faisait tout un battage. Il se voyait déjà sourire faussement aux journalistes en montant dans l'aérostat – Suzanne à son bras, Sacha et Bruno à la traîne –, affectant la grande émotion joyeuse qu'on s'attendait à ce qu'il éprouve en tant que premier client de la société Poisson Volant. Par ce pénible exercice, la journée s'amorcerait bien mal.

Alors il remarqua que les antennes et les coupoles avaient commencé à bouger sur le fond de la nuit. Il s'approcha de la fenêtre. Les insectes géants sortaient de leur engourdissement, expulsant dans la lumière des phares les journalistes affectés à la couverture de l'événement. Il n'était pourtant que quatre heures du matin. Que se passait-il donc ?

Une minute plus tard, on vint trouver Renard pour l'informer de l'explosion du zeppelin.

Renard écrasa son cigare et quitta le fumoir. Le couloir, soudainement animé, était plein de mouvement et de bruit. L'agitation du dehors avait gagné la caserne, la nouvelle de la catastrophe y ayant provoqué un émoi considérable. Dans le dortoir, Suzanne et les enfants ne dormaient plus ; ils attendaient la suite des événements, le programme du dimanche. Renard leur annonça qu'ils boucleraient les valises et rentreraient au château.

3

Trevor rabattit le capuchon de son anorak et, d'un bond, sauta dans le canot pneumatique. Il s'installa à genoux au fond de l'embarcation, empoigna les avirons et se mit à ramer le long du récif.

Le vent du large cinglait son visage, et les vagues, irrégulières et violentes, le détournaient de sa destination. Ramené constamment dans la lumière du mât d'amarrage, Trevor redoutait qu'on le repère s'il ne gagnait pas au plus vite l'ombre de la base. Il redoubla d'ardeur en tâchant d'éviter les rochers contre lesquels il risquait à tout moment de se briser.

Le visage grimaçant, il se demanda comment il avait abouti dans une situation pareille. Que faisait-il dans le Grand Nord, au milieu d'une nuit glaciale, à ramer contre ces eaux furieuses ? Pourquoi venait-il de couper à la hache les amarres d'un zeppelin ? d'en détraquer les machines ? Par quel étrange chemin sa vie l'avait-elle conduit à ces actions criminelles ? Trevor releva la tête. Pour une seconde fois seulement, il regarda dans le ciel étoilé le dirigeable qui, telle une bête affolée, s'éloignait en zigzaguant au-dessus des icebergs. Un sentiment d'irréalité l'envahit.

Un aboiement lointain lui rappela toutefois le danger qu'il courait à trop s'attarder dans le cercle de lumière. Quelqu'un, de la berge, avait pu l'apercevoir et donner l'alerte. Conscient du péril que représentait le moindre retard, il rama de toutes ses forces pour contourner le récif et rejoindre la terre ferme.

Parvenu enfin au quai de la base, il se glissa hors du canot pneumatique et monta en soufflant le sentier qui menait aux hangars. L'endroit reposait sous la neige, dans le silence et l'obscurité. Trevor se sentait épuisé et commençait à avoir peur. Ayant gagné le haut de la pente, il s'immobilisa contre le mur de tôle du bâtiment principal, la poitrine haletante sous la pression mêlée de l'effort et de l'angoisse.

Il essaya de se calmer. N'avait-il pas achevé le gros de son affreuse besogne ? De toute évidence, il n'avait plus rien à craindre ; il lui suffirait de rester discret jusqu'au retour au pays.

Cependant, quelque chose avait bougé près

de l'entrée de la caserne. Deux lueurs jaunâtres se rapprochaient maintenant du rôdeur. Trevor y reconnut les yeux d'un énorme chien et retint son souffle. Il s'agissait d'une bête monstrueuse d'une race incertaine, aux pattes puissantes et aux crocs acérés. Elle s'arrêta à quelques mètres de lui, prête à bondir, et lança une série d'aboiements.

Trevor esquissa un mouvement de recul. L'animal se jeta sur lui et le renversa. Trevor se défendit d'abord maladroitement en donnant au chien des coups de pieds désordonnés qui n'avaient pour effet que de le repousser de façon temporaire, l'assaut reprenant toujours avec plus de rage. Puis, ayant réussi à se dégager une seconde, Trevor extirpa d'une poche de son anorak un petit couteau qu'il planta d'un geste vif, d'une sûreté qui l'étonna lui-même, dans la gorge du chien.

Celui-ci exhala une plainte et tomba à demi. Il se releva, voulut charger de nouveau, mais ce fut peine perdue. Trevor hésita à donner un second coup de couteau. L'animal s'écrasa, puis se convulsionna un moment avant de se raidir tout à fait dans la mare grandissante de son sang.

Trevor s'agenouilla en s'appuyant contre le mur. Il jeta un œil aux alentours pour s'assurer que personne n'avait assisté à la scène. La nuit paraissait moins noire, moins épaisse qu'avant le combat. D'une main tremblante, il essuya son arme dans la neige. Quelle terrible action venait-il d'accomplir ? L'idée qu'il avait tué s'imposa soudain à lui – bien réelle, concrète, rigide comme le cadavre qui reposait sous ses yeux.

Trevor se releva, rempocha son couteau et reprit son chemin entre les hangars. Il était dégoûté par cette mission de sabotage qu'il avait acceptée sans réfléchir, entraîné par l'appât d'une prime substantielle. Qu'adviendrait-il de lui désormais ? Que lui proposerait-on ensuite ? Aventures Amazonie n'était pas l'organisation qu'il avait imaginée. Il sentait qu'il s'était pris dans un redoutable engrenage.

Ressassant ces pensées inquiètes, il arriva bientôt au stationnement de la base. Tout dormait. À pas furtifs, soucieux de ne rien briser du silence qui enveloppait les lieux, il regagna enfin la camionnette où l'appelait son rôle fictif de journaliste débutant, encore inconnu, au service d'un hebdomadaire régional.

Compagnie

1

Mon ami Emmanuel, inspiré sans doute par l'abondante publicité dont son inauguration avait fait l'objet, m'avait proposé d'aller visiter le nouveau planétarium. Je sortais d'une période difficile – à vrai dire, je n'en sortais pas –, et la perspective de quitter ma chambre, de m'exposer au dehors, ne serait-ce qu'un après-midi, ne me disait rien. Mon ami avait insisté, arguant de la nécessité, dans l'état de misère où j'étais, où je croupissais depuis des mois, de me secouer enfin. N'étais-je pas fatigué de ne rien faire ? Mollement, j'avais accepté de le suivre.

Assis dans le hall du planétarium, près de la billetterie, j'attendais qu'Emmanuel revienne du vestiaire, où il était allé déposer nos parapluies. L'endroit était bondé, rempli d'hommes et de femmes, d'enfants et de vieillards, de familles, de groupes organisés. Effrayé par une telle affluence, j'essayais de garder mon calme, de me défendre contre le découragement : dans quelques heures, tout serait terminé.

Emmanuel est réapparu, me tendant un billet et un prospectus. Nous avons rejoint la longue file qui s'étirait jusqu'à l'entrée. Plongé dans ma lecture, j'ai appris que le nouveau planétarium offrait une expérience « positive de la nature », que le visiteur y était invité à « se fondre dans l'infini » et qu'il devait en ressortir « ouvert » et « grandi ». Tout cela me paraissait bien abstrait, mais je n'étais pas contre un peu d'infini, non, j'y consentais volontiers, j'y consentais certainement.

Ne le fallait-il pas ? N'étais-je pas tenu à un minimum de bonne volonté ? Emmanuel m'avait tiré de ma retraite, il croyait à l'utilité de son initiative, et ce n'était pas mon intention de le décevoir. Résolu à faire un effort pour lui être de compagnie agréable, j'ai tâché de me convaincre que les choses de l'astronomie m'intéressaient.

D'ailleurs, elles m'intéressaient. J'avais déjà regardé les étoiles, une nuit, à la campagne, je m'en souvenais.

J'allais en dire un mot à Emmanuel lorsqu'on nous a invités à entrer. La foule a avancé d'un pas, piétiné un dernier instant devant les portes, puis nous avons pénétré dans une salle où se trouvaient, autour d'un planétaire, sous une voûte de projection gigantesque, plusieurs cercles concentriques de fauteuils légèrement inclinés. Une musique cristalline nous enveloppait telle une bruine invisible.

Ayant pris place au fond, nous avons promené nos regards sur les têtes et les visages. Je sentais que mon ami désirait engager la conversation, mais l'inspiration me manquait désormais, j'attendais seulement le début du spectacle pour me fondre dans l'infini. Bientôt, la lumière a décru, le murmure général s'est apaisé, et une voix de femme très douce, très claire, nous a souhaité la bienvenue.

Il a fait complètement noir. Quelques secondes de flottement ont suivi, puis la voûte s'est étoilée.

Tout s'est ensuite enchaîné à la manière d'un ensorcellement. Absorbé par le ciel et la voix qui en racontait l'histoire, qui en expliquait les phénomènes, qui en décrivait les confins, je me suis oublié, j'ai oublié mon existence personnelle. Les étoiles étaient lointaines et innombrables. L'Univers avait quatorze milliards d'années. Il existait une énergie « sombre ». Il existait une matière « noire ». Des amas de galaxies associés à d'autres amas de galaxies formaient des superamas. L'espace ni le temps ne se concevaient séparément. On ignorait ce qui se cachait au-delà de l'horizon cosmologique. Les anneaux de Saturne se composaient de poussière et de glace. Le Soleil était une boule de gaz.

La voûte s'animait dans une succession de tableaux fantastiques. On nous a montré les principales constellations, il y a eu une pluie d'étoiles filantes, une aurore boréale, le passage d'une comète, on a reculé dans le passé, on s'est projeté dans l'avenir, le ciel changeait, les corps s'y mouvaient, s'y consumaient, des traits de lumière fusaient, des taches se formaient, des masses implosaient – de l'énergie se concentrait et se libérait, tout était déchaînement de forces fabuleuses, et il apparaissait de moins en moins clair, la représentation allant vers sa fin, la voix s'étant tue, la musique s'étant accélérée, que ce à quoi nous assistions était un exposé de nature strictement scientifique. L'ensemble, au-dessus de nos têtes, me semblait tenir davantage d'une sorte d'art radicalement abstrait, sans rapport avec le monde observable.

La voûte s'est éteinte. On a rallumé dans la salle. Une heure avait passé.

Je suis retombé brusquement en moi-même.

Les gens se relevaient et se dirigeaient en masse vers la sortie. Ils s'étaient remis à parler entre eux comme si de rien n'était, avec une désinvolture extraordinaire, certains riant par-dessus le marché, et je me suis demandé s'ils avaient vu le même spectacle que moi. Comment pouvait-on exprimer quoi que ce soit après une telle expérience? Le silence seul aurait dû s'imposer – s'abattre sur eux.

Emmanuel et moi sommes sortis sans rien dire. Nous avons débouché dans une salle où était présentée une exposition complémentaire sur le destin de l'Univers. On circulait devant des vitrines, des panneaux explicatifs, des bornes interactives. Plus loin, dans une zone qui leur était réservée, des enfants jouaient avec des ballons représentant les huit planètes du système solaire. L'ambiance était gaie, ça riait, on aurait dit une fête. Des guides offraient aux gens de les éclairer sur tel ou tel sujet, de vulgariser pour eux des notions fondamentales de cosmologie.

Je n'avais pas tellement envie de faire le tour de l'exposition, mais Emmanuel s'y intéressait déjà, il s'attardait devant une collection de météorites, et je n'osais pas le tirer vers la sortie. Je me suis éloigné et j'ai survolé d'un œil distrait différents panneaux, dont un, très large, qui portait sur une théorie dite de la Grande Déchirure. Elle supposait une expansion accélérée de l'Univers.

Effrayé, je suis allé m'asseoir sur un banc.

Je me sentais minuscule. À une centaine de kilomètres seulement au-dessus de nos têtes, l'espace hostile commençait qui s'étendait bien au-delà de ce que je pouvais imaginer. Notre situation me paraissait extrêmement précaire, terriblement invraisemblable. Je me suis abîmé dans une méditation angoissée sur la fin des temps.

Levant les yeux, j'ai remarqué qu'Emmanuel conversait avec une jeune scientifique d'une beauté saisissante. Elle lui parlait sans doute des météorites, de leur provenance, de leur constitution. Mon ami avait l'air sous le charme, je le voyais qui se troublait.

J'ai décidé de partir.

J'ai abandonné mon banc et traversé la salle d'exposition en direction de la sortie. Dans le hall, la longue file des visiteurs qui attendaient pour assister au spectacle n'avait pas diminué. La plupart étaient trempés, et j'ai compris qu'il avait plu. J'ai constaté par les portes entrouvertes qu'il pleuvait toujours, qu'il pleuvait même à boire debout, et j'ai pensé qu'il me serait impossible de récupérer mon parapluie sans le ticket du vestiaire qu'on avait remis à Emmanuel.

Renonçant à revenir sur mes pas pour le lui réclamer, épuisé par ma visite et impatient de retrouver ma chambre, j'ai fait fi des éléments et quitté enfin le planétarium.

2

Le tenant par la main, j'ai pénétré avec Philémon dans la forêt tropicale.

Ma sœur m'ayant confié la garde de son fils pour la journée, j'avais élaboré un programme d'activités qui devait le tenir occupé jusqu'au soir. Il m'avait semblé que c'était là mon rôle, en tant qu'oncle, d'assurer à mon neveu des heures pleines et extraordinaires, bien distinctes de celles qu'il vivait avec ses parents. Je m'étais mis dans la tête qu'il fallait que ma compagnie lui soit sinon une fête, du moins une occasion de réjouissance. Je me voulais enthousiaste, généreux. J'espérais qu'il m'associerait dans son esprit à une sorte de joyeux congé de la vie quotidienne.

J'avais pensé que le Biodôme l'émerveillerait.

Le lieu était presque désert, en ce début de matinée, et nous avancions à pas lents dans l'atmosphère humide, sous la végétation dense, attentifs au moindre signe de vie animale. Des odeurs et des cris nous parvenaient, indéfinissables, nous plongeant brusquement dans un monde étranger.

Nous suivions le sentier jalonné de panneaux explicatifs, nous arrêtant çà et là pour observer un perroquet, un iguane ou un paresseux suspendu à une branche. Je me suis intéressé un instant au figuier étrangleur, arbre épiphyte, mais j'ai lu qu'il était faux et dissimulait des conduits du système de ventilation. Penchés au-dessus d'un bassin où passait et repassait un banc de piranhas, à quelques mètres d'un anaconda à moitié immergé, nous avons admiré un ibis rouge immobilisé sur une pierre. Des tamarins se déplaçaient agilement sur les lianes d'un escarpement en surplomb.

Philémon ne disait mot, sa main ne lâchant pas la mienne. Inspiré par ce que j'apprenais sur les panneaux, je lui commentais notre visite, désignant les animaux et les plantes, expliquant leurs interactions, éclairant jusqu'à la notion d'écosystème. Mon soliloque commençait cependant à me fatiguer, et, comme nous nous attardions dans la grotte des chauves-souris, j'ai demandé à mon neveu si le Biodôme lui plaisait. Avec timidité, il m'a répondu que oui, ce que j'ai cru sincère et qui m'a un peu encouragé. Nous ne nous connaissions guère, en somme, lui et moi, et je comprenais qu'il faudrait du temps pour briser la glace.

En ce qui me concernait, le Biodôme était une révélation. Je ne l'avais pas visité depuis l'enfance, vingt ans plus tôt. Dès l'entrée, j'avais été ému par sa faune et sa flore fabuleuses. La pensée me frappait qu'elles s'épanouissaient à deux pas de chez moi sans que jamais, dans mon activité quotidienne, cela m'arrête un instant. Des milliers d'individus d'espèces improbables cohabitaient sous la voûte de verre d'un ancien vélodrome de mon quartier. Je voisinais avec des caïmans, avec des lynx, avec des pingouins. Ils étaient là, tout près.

Philémon avait lâché ma main et gagnait maintenant la forêt laurentienne. Heureux de le voir se libérer de ma tutelle, je l'ai suivi à distance. Il a longé à petits pas les feuillus et les conifères, se retournant parfois pour me montrer le chemin. Arrivé devant le bassin des loutres, il a eu une expression joyeuse, vraie et spontanée, qui m'a rassuré en me laissant croire qu'il n'oublierait pas de sitôt sa visite.

Je sentais que sa gêne se dissipait.

Plus loin, l'admirable castor nous a retenus, fascinés. Engagé dans la construction d'une digue, il enchaînait les allers-retours depuis la rive, son corps massif propulsé puissamment sous l'eau par sa large queue plate et ses pattes de derrière palmées. Son pelage brillait, ses incisives étaient longues, pointues, tranchantes. Il coupait des branches et des troncs qu'il transportait ensuite jusqu'à la digue. J'ai songé que ce magnifique bâtisseur avait ma préférence.

Philémon restait muet, et je continuais de guetter ses réactions en craignant à tout instant qu'il ne donne des signes d'ennui. Plus captivé que jamais, pour ma part, je m'étonnais de l'attrait que le Biodôme exerçait sur moi. N'était-ce pas qu'une sorte de jardin zoologique ?

Traversant la zone du Saint-Laurent marin, où des centaines de poissons évoluaient dans une eau de mer artificielle, j'ai cru comprendre que la vie animale qui nous entourait, dans sa variété prodigieuse et son étrangeté radicale, offrait un contraste apaisant à mon existence humaine. Cela me changeait de l'espèce à laquelle j'appartenais et m'ouvrait les yeux sur la place disproportionnée qu'elle occupait dans ma représentation du monde. J'étais reconnaissant au Biodôme de me rappeler l'existence des mollusques, par exemple, ou de m'apprendre celle du concombre de mer. Sans doute manquait-il à ma vie de l'invertébré, du zoophyte et du coquillage, de la rêverie de grands fonds...

De même y manquait-il l'expérience des pôles. La visite du Biodôme se terminait par les zones arctique et antarctique, mondes de glaces et d'oiseaux, où l'on nous apprenait à différencier le pingouin du manchot. Une fois de plus, je me suis inquiété de savoir si l'intérêt de Philémon ne faiblissait pas. Il me semblait, maintenant, que c'était impossible. Devant la grande vitre qui nous séparait de l'habitat de chaque groupe de palmipèdes, je me suis de nouveau trouvé fasciné par la singularité de la vie qui s'y manifestait. Qu'étaient-ce donc que ces drôles d'oiseaux ?

Absorbé dans la pensée des formes bizarres que la nature inventait, je me suis bientôt dirigé vers la sortie. Nous avions tout vu, le parcours de cinq cents mètres n'allait pas plus loin. Philémon avait repris ma main, toujours sans dire un mot. Il attendait peut-être la suite des événements, le programme de l'après-midi, mais je ne lui ai rien dit. Fatigué de notre incommunication, déçu de moi-même, je me rendais à l'évidence que jamais mon neveu ne m'associerait, comme je l'avais espéré de manière insensée, à une sorte de joyeux congé de la vie quotidienne.

Dehors, sous le soleil éclatant, tandis que

nous marchions vers mon appartement, j'ai remarqué avec accablement la faune minable des chiens menés en laisse, des moineaux pépiant sur les fils, des écureuils grimpant aux arbres, et j'ai soudain éprouvé comme un grand besoin de jungle.

Midi approchait. J'ai demandé à Philémon s'il avait envie d'une pizza.

3

Accablé par ma famille, blessé par mes amis, j'avais décidé de ne plus voir personne. L'été se passait en siestes lourdes entrecoupées de longues périodes de somnolence. Je ne quittais plus mon lit que pour aller grignoter des noix, des biscottes, des raisins secs.

Un matin, las de ma compagnie, j'ai voulu prendre l'air. J'ai enfourché mon vélo.

Le temps était gris. Déshabitué de sortir, je me suis étonné de la lumière, si vive malgré les nuages, et j'ai roulé un moment les yeux plissés, comme à demi aveugle. Le monde se révélait peu à peu, monde d'automobiles et d'immeubles, où j'allais par des rues droites. J'ai reconnu la ville.

Je me suis dirigé au hasard, bien décidé à me perdre.

Des souvenirs mauvais commençaient à

affluer à ma mémoire. C'étaient les mêmes vieux souvenirs que d'ordinaire, souvenirs d'offenses qu'on m'avait faites et auxquelles je n'avais pas su répondre, souvenirs de vexations que j'avais essuyées sans dire un mot. Des paroles mesquines prononcées par de prétendus amis me revenaient. Une longue série de méchancetés, d'actions égoïstes, d'attitudes désobligeantes a défilé dans mon esprit.

Je me suis bientôt senti complètement empoisonné. Il n'y avait là rien de nouveau, pourtant je ne savais toujours pas me défendre contre ce venin du ressentiment que sécrétait ma solitude. J'ai accéléré, dressé en danseuse dans une côte, de plus en plus furieux contre le monde et moi-même en repensant aux affronts que j'avais soufferts en silence. J'ai versé dans la haine, dans l'exécration.

Des rafales se sont élevées. La poussière m'a aveuglé. Un bruit de klaxon a retenti, puis un autre.

Mon attention a dévié, s'est portée sur ma famille. Je me suis rappelé comme elle était bornée. Ayant à propos de tout une idée arrêtée et ne doutant de rien, elle refusait le dialogue, la contradiction, et s'exprimait de manière à détruire d'avance toute objection. J'ai revu nos réunions stériles, nos soupers tendus, nos anniversaires gâchés. J'ai considéré avec accablement la superstition qui lui tenait lieu de pensée.

Chaque jour de l'été qui passait ramenait ces réflexions qui m'agitaient durant de longs moments avant de s'épuiser d'elles-mêmes, sans que ma volonté y puisse rien. Ma famille et mes amis se sont disputé l'objet de mes récriminations sur quelques kilomètres encore, puis j'ai cru que le monde extérieur sollicitait mon attention, qu'on me tirait de mes tristes ténèbres.

J'étais perdu. Cela m'a calmé. J'ai ralenti mon allure, regardé autour de moi, je me suis intéressé aux blanches façades des duplex qui se succédaient d'un côté et de l'autre. Dans quel quartier avais-je donc abouti ? J'ai traversé un boulevard, longé une cour d'école, croisé une rue Valéry, une rue Rimbaud. Un instant, croyant passer et repasser devant les mêmes immeubles, j'ai eu l'impression de tourner en rond. Un panneau m'a enfin appris que j'étais à Saint-Léonard.

Je suis arrivé dans un grand parc où étaient aménagés des terrains de sport. Je roulais très lentement, juste assez vite pour assurer mon équilibre, et j'ai fini par m'immobiliser, appuyé contre un haut grillage à mailles losangées entourant une piscine. Sur un plongeoir, un enfant obèse s'apprêtait à sauter, encouragé par un ami frêle et grelottant qui attendait son tour. Une surveillante perchée sur une chaise, ramassée sur elle-même dans son survêtement de coton, avait l'air de s'ennuyer. Le ciel était bas, bouché et comme pétrifié.

J'ai repris ma route sans me presser, suivant un sentier bordé d'arbres, jusqu'à ce que, moins d'une minute plus tard, un second panneau m'arrête. Un pictogramme y représentait une silhouette avançant à quatre pattes, une lampe frontale lui éclairant le chemin, sous trois espèces de concrétions triangulaires issues d'un plafond oblique. Une inscription surmontée d'une flèche m'informait qu'on trouvait là-bas, dans la direction indiquée, la caverne de Saint-Léonard.

J'ignorais qu'il y avait une caverne à Saint-Léonard.

J'ai voulu aller y jeter un œil. Je suis reparti en suivant le sentier.

Ce n'était pas loin. Il y avait là, dans un coin retiré du parc, un escalier qui descendait jusqu'à une porte massive et noire s'ouvrant sous le niveau du sol. L'accès à la porte était barré par une grille.

On aurait dit l'entrée d'un bunker. Je suis resté là sans bouger, étonné de ma découverte, me demandant à quoi ressemblait la caverne et si elle était profonde. Je n'ai pas entendu venir les deux hommes qui sont bientôt apparus à quelques mètres de moi, casqués et revêtus de combinaisons imperméables. C'étaient deux spéléologues, certainement, et leur apparition insolite a évoqué en moi, par quelque mystérieuse association, celle de deux astronautes.

Ils se sont engouffrés dans la caverne.

La grille et la porte refermées derrière eux, je me suis de nouveau trouvé seul. Je n'avais entrevu de l'intérieur de la cavité rien d'autre que l'obscurité qui y régnait. J'ai imaginé que les deux hommes avaient allumé leurs lampes frontales et qu'ils hésitaient dans une espèce d'antichambre aux multiples ouvertures donnant sur autant de tunnels. Sans doute n'était-ce pas leur première visite, du reste, et connaissaient-ils par cœur le réseau des galeries souterraines.

Ils ont dû s'enfoncer rapidement dans les profondeurs, glissant dans des passages étranglés, coulant dans des crevasses étroites, en s'appuyant sur des parois de roche calcaire où suintait une humidité perpétuelle. Je me suis représenté un lieu parcouru de stalactites et de stalagmites, de colonnes élancées, de fossiles vieux de millions d'années. Je me suis figuré un monde de nuit opaque et de silence absolu, où les deux hommes s'aventuraient très loin à la découverte de recoins inexplorés, au magnétisme irrésistible.

J'ai attendu longtemps leur retour. Le regard attaché à la porte, je me suis interrogé sur le processus qui avait mené à la formation de la caverne, concevant mal la présence d'un tel creux, d'une telle poche sous la terre. Quelles puissantes forces avaient donc agi, et sur quelle durée ? Je me suis livré à diverses spéculations, fondées sur de vagues et lointaines notions de géologie, mais cela n'a débouché sur rien : la réalité, une fois de plus, résistait à ma compréhension. Las de réfléchir en pure perte, j'ai abandonné toute hypothèse et détourné les yeux de l'entrée de la caverne.

Les spéléologues ne remontaient pas. Incertain tout à coup de ce que je faisais là, j'ai décidé de partir.

Un petit panneau, non loin, que je n'avais pas remarqué, indiquait les heures d'ouverture de la caverne ainsi que d'autres informations essentielles à la planification d'une visite. J'ai compris qu'il s'agissait d'un lieu accessible au public, que n'importe qui pouvait s'enfoncer dans les profondeurs.

Sur mon vélo, la tête pleine encore d'imaginations souterraines, j'ai roulé en m'orientant à peu près vers chez moi. Le ciel demeurait gris, compact et figé. Le souvenir de mes proches ne m'agitait plus, je songeais même que j'avais eu tort de les juger si sévèrement et qu'au fond ils étaient bons. Ne m'avaient-ils pas montré déjà des signes de considération ? Ne m'estimaient-ils pas, en vérité ?

Descendant une côte à toute allure, redoublant de vitesse, accélérant encore, j'ai soudain résolu d'organiser bientôt – l'euphorie me gagnant – une grande fête qui les réunirait tous.

Retraite

Dans son bureau encombré de boîtes et de dossiers, Jean-Pierre relisait la carte que ses collègues lui avaient offerte, la veille, lors de la fête organisée pour souligner son départ à la retraite. Les souhaits que chacun avait formulés manquaient cruellement de sincérité et de naturel, et Jean-Pierre y cherchait en vain une marque sentie d'affection ou de reconnaissance. Il comprenait avec amertume que son départ ne suscitait qu'indifférence et que la place qu'il laissait vacante serait comblée sans problème. Ses trente-cinq années passées à la tête du Service des archives ne valaient rien; son dévouement au travail ne comptait pas. Quand il quitterait l'hôpital pour une dernière fois, quelques minutes plus tard, il serait définitivement oublié.

Avec lenteur, il ramassa ses affaires: une photo de famille, un agenda, quelques papiers, un bibelot, une tasse de café. Il déposa ces objets dans une boîte et referma celle-ci soigneusement.

Toute trace de son passage effacée, il ne restait plus à Jean-Pierre qu'à disparaître à son tour.

Au-dessus de sa tête, la tuyauterie gronda.

Il s'attarda un instant dans son fauteuil, parcourant la pièce du regard. Somme toute, il n'était pas fâché de quitter ce lieu sombre et humide. Il ne lui importait plus de céder sa place à un autre. Était-ce vivre que de passer le plus clair de son temps dans une cave à remuer des papiers ? Le ciel et l'horizon bouchés par un plafond jauni et quatre murs verdâtres, on avait ici l'impression d'étouffer, de manquer d'air. Le dos voûté, le nez dans la poussière des dossiers, s'usant les yeux sur un écran d'ordinateur, Jean-Pierre devait de surcroît traiter avec un personnel aigri et mesquin. Voilà en quoi consistait sa vie active ! Une suite interminable de journées grises et compliquées dans un bureau éclairé au néon.

Enfin, tout cela serait bientôt derrière lui. Jean-Pierre se leva et, sa boîte dans les bras, quitta la pièce sans se retourner. Il longea prestement les rayonnages surchargés de dossiers jusqu'à un escalier secondaire, étroit, qu'il emprunta selon son habitude bien que l'accès en fût interdit. Il n'avait croisé personne.

Là-haut, comme toujours, le corridor des urgences empestait l'eau de Javel, et les malades, abandonnés à eux-mêmes, râlaient dans la chaleur moite de leur lit. Jean-Pierre accéléra le pas et poussa la porte qui donnait sur l'extérieur, s'arrachant pour de bon à l'atmosphère stérile de l'hôpital.

Dehors, le soleil de mars se réverbérant sur la neige l'aveugla. Il dut s'immobiliser quelques secondes, le temps de s'acclimater à la lumière du jour ; puis il repéra et rejoignit sa voiture.

Quitter son bureau en pleine matinée, tandis que tout le monde continuait de travailler, lui paraissait extraordinaire. Il ne savait pas ce qu'il ferait du reste de la journée – pas plus que du reste de sa vie –, et cette absence de programme le grisait. Il pouvait désormais disposer de son temps comme il l'entendait. Personne ne viendrait plus lui demander des comptes. Finis les tâches à accomplir, les objectifs à atteindre, les budgets à respecter ! Une sensation de légèreté l'envahit. Me voilà libre, songea-t-il. Il se rappela ses années d'étudiant, pendant lesquelles il avait vécu – du moins aimait-il le croire – dans un loisir et une insouciance absolus. Cette époque lointaine représentait à ses yeux une sorte d'âge d'or personnel. Peut-être lui serait-il permis de la ressusciter ? Jean-Pierre voyait dans sa retraite l'occasion d'une renaissance qui lui permettrait de retrouver la vigueur joyeuse de sa jeunesse. Avec l'arrivée du printemps, pensait-il en longeant le fleuve gelé, une vie nouvelle s'ouvrait devant lui, plus vraie que celle qu'il abandonnait. Enfin délivré de sa carrière et délesté du poids de ses responsabilités, il se promettait de donner à son existence l'intensité qui lui avait fait défaut durant les trente-cinq années précédentes. Il ne vivrait plus à moitié, non, mais pleinement et sans compromissions.

* * *

Le soir même, Jean-Pierre célébra son nouvel état de retraité avec sa femme et ses deux enfants dans un restaurant grec de Longueuil. Ils burent un peu de vin. Simon et Mélanie, habituellement à couteaux tirés, se montrèrent fraternels. Jean-Pierre en oublia l'ingratitude de ses collègues de travail. Heureusement qu'il y a la famille, songea-t-il. Au moment du dessert – on leur servit des baklavas industriels –, Nicole lui offrit une carte de vœux dans laquelle elle avait glissé deux billets d'avion : le lendemain, ils s'envoleraient pour Athènes. Jean-Pierre en resta muet de surprise ; il n'avait rien vu venir. Nicole avait organisé en secret le voyage en Grèce dont il avait toujours rêvé. Ils s'embrassèrent tendrement.

Toute la nuit, un œil sur leurs valises, Jean-Pierre se tourna dans son lit, surexcité par la perspective du voyage. Dans la chambre voisine, le ronflement continu de Nicole ne l'aida en rien à sombrer dans le sommeil.

Au petit matin, ils se rendirent à l'aéroport. L'attente pour monter dans l'avion fut longue et le vol, interminable. On leur servit un repas insipide, il y eut des turbulences, les sièges couinaient. Jean-Pierre souffrit de maux de tête. Nicole dormit.

Arrivés à Athènes, ils prirent un taxi qui les conduisit à l'hôtel. Ils déposèrent leurs bagages dans leur chambre et, malgré la fatigue, allèrent aussitôt se promener dans les rues de la ville, comme pour constater qu'ils ne s'étaient pas trompés de destination. Après quelques minutes de marche, ils aperçurent l'Acropole ; satisfaits, ils rentrèrent se coucher.

Les jours suivants, il leur fallut s'assurer que la Grèce était bel et bien le berceau de la civilisation européenne.

Ils visitèrent différents musées. Ils admirèrent des œuvres. Ils s'initièrent à la mythologie grecque, lurent sur la naissance de la philosophie et de la démocratie. Ils s'embarquèrent dans un car qui les amena à Delphes, à Olympie, à Mycènes. Ils se saoulaient d'Antiquité, emmagasinant des connaissances qu'ils oubliaient presque aussitôt, et cela les fâchait contre eux-mêmes ; ils auraient voulu tout retenir. Revenus à Athènes, assis dans les gradins du théâtre de Dionysos, ils eurent l'impression d'avoir remonté le temps. Ils s'imprégnèrent de l'esprit des lieux, se recueillirent dans les ruines. Il leur semblait que ce monument rongé par les siècles avait quelque chose à leur dire – mais quoi ? Nicole regretta de ne pas aller plus souvent au théâtre. Jean-Pierre promit de les abonner au Théâtre du Nouveau Monde à l'automne.

Ils ne s'éloignèrent jamais trop du circuit touristique balisé pour eux. Ils mangèrent dans les restaurants recommandés par leur guide de voyage. Dans une boutique, ils achetèrent une reproduction miniature de l'aurige de Delphes.

Fatigués de l'art et de l'histoire, ils partirent en croisière. Allongés sur des transats, ils bronzèrent en buvant des boissons exotiques. Ils s'émerveillèrent de la beauté de Santorin, île volcanique où ils accostèrent au pied des falaises. Les maisons étaient blanches, la mer était bleue : c'était la Grèce. Ils étaient contents.

Ils purent rentrer chez eux.

À l'aéroport, ils conclurent à un voyage exceptionnel. Nicole s'endormit avant même que l'avion n'ait décollé. Calé dans son siège, Jean-Pierre regarda s'éloigner la Terre par le hublot. Tout devenait plus petit, plus insignifiant. Bientôt, les habitations, les automobiles et les hommes ne furent plus que des pièces de même valeur disposées sur un plateau de jeu de société. De là-haut, la vanité de ce monde apparut à Jean-Pierre dans toute sa clarté.

Dans la lumière fondante du soir, l'avion cessa de prendre de l'altitude et fonça résolument vers l'ouest.

Soudain, Jean-Pierre douta du bilan positif qu'il avait établi avec Nicole de leur séjour en Grèce. Le sentiment s'insinua en lui que ce voyage qui s'achevait restait incomplet. Quelque chose manquait, et Jean-Pierre sentait au fond de son ventre comme la présence d'un cratère sans lave, desséché. Il résolut toutefois de n'en rien dire à Nicole.

Cherchant à dissiper son malaise, il fixa son attention sur les nuages qui s'effilochaient dans l'obscurité.

* * *

Le reste du printemps et tout l'été, Jean-Pierre se consacra à des travaux de rénovation.

Depuis des années, son emploi du temps ne lui laissant aucune liberté, il avait négligé de s'occuper de sa propriété. Laissée à l'abandon, elle commençait à montrer des signes de décrépitude.

Jean-Pierre s'attaqua d'abord à la salle de bains, la transformant au goût de Nicole, qui voulait qu'une ambiance méditerranéenne y soit créée. Il répéta ensuite l'opération pour la cuisine et la salle de séjour. Ces travaux furent longs, mais Jean-Pierre les exécuta avec ardeur et soin. Il trouva sur la Toile toutes les informations essentielles à leur réalisation.

Absorbé dans sa tâche, il ne voyait plus le temps passer. Mesurer, scier, clouer, peindre : cela lui reposait l'esprit. Il ne pensait plus avec sa tête, mais avec ses mains.

Quand il en eut terminé avec la maison, Jean-Pierre se lança dans l'aménagement de la cour. Il construisit une terrasse, un cabanon, un jardin aquatique. Il remua la terre, planta des fleurs et des arbustes, créa un potager. Il acheta des chaises longues qu'il plaça près du plan d'eau, sous un parasol.

Nicole guidait les travaux ; elle concevait les plans et choisissait les matériaux. Le petit paradis dont elle avait toujours rêvé prenait forme.

Jusqu'en août, l'enthousiasme de Jean-Pierre ne décrut pas une seconde. Il oubliait toutefois que ces travaux ne représentaient, dans le programme de sa retraite, qu'un très court intermède ; aussi, l'automne venu, quand ils furent achevés, la question de savoir ce qu'il ferait ensuite n'était-elle toujours pas résolue.

* * *

Il réagit néanmoins promptement, suivant l'un des nombreux conseils dénichés dans un guide pour retraités, en s'inscrivant à une multitude d'activités de loisir organisées par sa municipalité. À la recherche d'une voie où s'engager pour de bon – cette voie personnelle, encore inconnue, qui lui permettrait de s'accomplir enfin –, Jean-Pierre comprenait qu'il convenait d'abord d'élargir le champ de son expérience.

Au centre communautaire où il se rendit, un lundi soir de septembre, il trouva une dizaine de retraités discutant autour d'une machine à café. Il s'agissait là d'hommes et de femmes liés depuis plusieurs années et qui constituaient un groupe soudé et plutôt exclusif ; Jean-Pierre demeura à l'écart. L'aspect social de l'affaire l'irrita comme au jour lointain de sa première rentrée scolaire.

Tout au long du trimestre, l'image que lui renvoya, trois fois par semaine, le petit troupeau vieillissant de ses semblables le déprima considérablement.

Il s'engagea dans ses activités en solitaire, sans essayer de se mêler aux autres.

Il toucha à la photographie, fit un peu de sport et de cuisine, suivit des leçons de danse et d'espagnol, participa à un atelier d'écriture : rien ne lui déplut, rien ne l'emballa. Ses talents, dans tous les domaines, étaient médiocres.

Bien vite, il se sentit condamné à l'ennui, à l'erreur, à l'errance.

Il alla jusqu'au bout de ses activités en s'efforçant de s'intéresser à ce qu'il faisait, étonné de se connaître si mal et d'avoir nourri pour sa retraite, pendant des années, la confuse ambition d'une vie renouvelée. Il ne retourna plus au centre communautaire.

* * *

Nicole, qui avait dix ans de moins que lui et qui travaillait toujours, l'encouragea à persévérer dans sa recherche. Elle évoqua l'idée d'un second voyage – l'Italie ne le tentait-elle pas ? Jean-Pierre fit la moue. Elle proposa de sortir davantage : dans les musées, au cinéma, au théâtre. Il ne s'y opposait pas, mais, à ses yeux, sortir n'était pas un projet. Elle parla de bénévolat. Jean-Pierre y songea une semaine, avant d'y renoncer.

Que voulait-il donc ? Il ne le savait pas. Le jour, il s'occupait à des bricoles, errait dans la maison déserte, sombrait dans des siestes lourdes dont il ressortait hébété. Il attendait Nicole et, le soir, ils regardaient ensemble la télévision. La télévision ne l'intéressait pas.

Il regrettait la célérité avec laquelle il avait rénové la maison et la cour. Ces travaux l'avaient captivé. Maintenant, tout était terminé, tout était parfait. S'il trouvait parfois un objet à réparer ou un meuble à repeindre, ce n'était jamais qu'une affaire vite expédiée. Il se surprenait souvent à rêver d'un projet de rénovation plus vaste – chez un ami, une connaissance, un voisin.

Il en vint à se demander s'il n'avait pas un peu précipité son passage à la retraite.

Un matin, il se résolut à aller offrir ses services à son ancien employeur. Il se voyait déjà, dans un rôle plus effacé de conseiller, mettre à profit sa riche expérience. Il en oubliait l'atmosphère étouffante de l'hôpital, les travers du personnel, le dégoût que lui avait inspiré, dans les dernières années de sa carrière, la simple vue d'un dossier sur sa table. La perspective d'un rôle à jouer, dans un milieu qu'il connaissait bien, le remplissait d'espérance.

Hélas, on n'avait pas besoin de lui. Son poste avait été attribué à un jeune homme dynamique, aux idées nouvelles, qui avait insufflé un vent de fraîcheur au Service des archives. Du reste, le budget limité de l'établissement – l'ignorait-il ? – ne permettait pas qu'on lui propose d'occuper la moindre charge.

Cette déconvenue suffit à décourager Jean-Pierre d'entreprendre quelque autre démarche. Il se replia sur lui-même, maigrit, ne dormit plus. Le voyant dépérir et craignant pour sa santé, Nicole le poussa à consulter un psychologue. Fouetté par l'idée que son état, dont il évaluait mal le caractère alarmant, inquiétait sa femme à ce point, il lui répondit que ce n'était pas nécessaire, que d'ailleurs il allait déjà mieux. Il se procura des somnifères, s'efforça de paraître jovial et essaya de se montrer moins critique envers ce qu'il y avait à la télévision.

* * *

La nuit de sa mort, Jean-Pierre se réveilla en sueur au milieu d'un cauchemar.

Il avait rêvé qu'il était à l'hôpital, au Service

des archives, écrasé au sol par une force surnaturelle, entre de hauts rayonnages surchargés de dossiers dont il remarquait avec frayeur qu'ils étaient mal classés. Une pression énorme le maintenait dans sa position, à l'horizontale, sur le dos, les bras collés au corps. Soudain, un grondement attira son attention, et Jean-Pierre, par un miracle de sa volonté, arriva à relever légèrement la tête. Il vit alors, qui avançait vers lui, dont l'ombre épaisse fondait sur lui, un rouleau compresseur d'une taille extraordinaire. Jean-Pierre se débattit, crut se débattre, mais son corps demeurait immobile. Le cylindre de fonte approchait, approchait toujours davantage – sans pourtant jamais arriver jusqu'à lui et l'aplatir. Jean-Pierre se raidissait, tentait de crier, par la bouche expirait un souffle rauque, misérable.

Il se redressa dans son lit et porta une main à son cœur, soulagé que la réalité soit telle qu'il la retrouvait : banale, inoffensive. Il quitta sa chambre à pas feutrés, emprunta le corridor, vit que Nicole dormait et descendit au sous-sol.

Il s'assit un instant dans son fauteuil, devant la télévision éteinte. Il pensa à Simon et à Mélanie, ses enfants, la grande joie de son existence. Depuis combien de temps ne leur avaient-ils pas rendu visite, à Nicole et à lui ? Trois semaines ? un mois ?

Son regard fut alors attiré, au fond de la pièce, par la boîte dans laquelle il avait déposé, un an plus tôt, au moment de quitter son poste, les menus objets de son espace de travail.

Il se souvint qu'une photo de famille s'y trouvait et voulut aller la chercher.

S'étant levé du fauteuil et ayant fait un pas, il s'immobilisa soudain, foudroyé, debout encore pour une demi-seconde, avant de s'effondrer.

* * *

La sonnerie du téléphone réveilla Trevor en sursaut. Son cœur bondit. Le jeune commis s'était assoupi durant sa pause, la tête appuyée sur la table. Il décrocha, nota le numéro de dossier qu'on lui indiquait et reposa le combiné sur son support.

Il se leva et disparut nerveusement entre les rayonnages.

Décidément, ce poste de nuit qu'il avait accepté aux Archives de l'hôpital ne lui convenait pas. Combien de temps encore tiendrait-il le coup dans cet endroit sinistre ? Il sentait que la fin approchait ; il s'en irait, il s'en irait très bientôt. Il pensa à la lettre de démission qu'il lui faudrait rédiger et se dit qu'il s'inspirerait de celle de l'année précédente, remise à son supérieur d'alors, à l'entrepôt où il avait été manutentionnaire pendant deux mois. Ce poste-là non plus ne lui avait pas convenu.

Il revint des rayonnages avec le dossier que le médecin de garde, au Service des urgences, lui avait réclamé. Il l'entrouvrit et lut le nom du patient à qui il appartenait.

Au-dessus de sa tête, la tuyauterie gronda.

Il déposa le dossier dans un petit chariot sur rails – sorte de modèle réduit de wagonnet de montagnes russes – dont il activa le moteur et qu'il regarda s'élever péniblement, dans un grincement d'essieux, puis disparaître par une trappe du plafond.

Faire le vide

1

À la proposition de Brigitte de passer quelques jours dans une auberge des Laurentides, j'avais opposé un refus catégorique. Il n'était pas question que je quitte ma chambre en cette période de l'année. L'été battait son plein, et je n'avais pas envie de jouer, à la manière de plusieurs milliers de mes semblables, au citadin amoureux de la nature. Brigitte avait insisté, cherchant à me faire admettre que j'avais besoin, comme elle, de « faire le vide ». Je lui avais répondu que, si j'avais besoin de faire le vide, ce n'était pas dans mon esprit, mais autour de moi. Elle m'avait quitté en claquant la porte.

Nous nous étions donc disputés une fois de plus. Allongé sur mon lit, je réfléchissais à la situation tout en guettant par la fenêtre la tourelle d'une pelle hydraulique stationnée dans la rue. Depuis l'aube, on s'affairait autour de l'immeuble voisin, un bâtiment vétuste à la charpente pourrie. Quelques badauds, des pensionnaires d'une maison de retraite située à deux pas de là, étaient réunis en bordure du périmètre de sécurité. Comme eux, j'attendais le début des travaux, l'ébranlement des machines.

Brigitte me comparait souvent à ces vieillards désœuvrés attirés par les moindres travaux de voirie. C'était une façon de déprécier mon goût d'une existence tranquille, à l'écart de l'agitation du monde. Elle critiquait sans cesse mon inactivité. Tu ne veux jamais rien faire, me disait-elle. Il est vrai que ses invitations à sortir ne trouvaient, la plupart du temps, aucun écho en moi. Mais qu'y pouvais-je ? Était-ce ma faute si je m'ennuyais au cinéma, me fatiguais au concert et m'endormais au théâtre ? Ces soirées n'en finissaient plus. Je redoutais particulièrement la saison estivale, pendant laquelle les sollicitations pour assister à mille et un spectacles en plein air se multipliaient. Les feux d'artifice m'indifféraient, mon intérêt pour les glissades d'eau et les parcs d'attractions s'était éteint depuis longtemps. S'il arrivait que j'accepte de me rendre à une fête où Brigitte et moi étions conviés, je ne parvenais jamais à m'y oublier, ivre et joyeux. Plutôt que de me délasser, ce genre de réunion créait en moi une tension presque insoutenable. Brigitte déplorait cette inaptitude à la vie sociale et me reprochait de ne pas savoir m'amuser. Selon elle, je devais apprendre à « lâcher prise ».

Je me suis levé et approché de la fenêtre. La pelle hydraulique avançait sur ses chenilles en direction de l'immeuble, dans un lent et lourd mouvement de mastodonte. Bientôt, le bras de la tourelle s'est déplié et élevé vers l'étage supérieur du bâtiment. Quelques secondes se sont alors écoulées dans un état d'immobilité tendue. Puis les dents du godet se sont attaquées délicatement à la façade, détachant quelques briques qui sont allées se fracasser sur le sol dans un nuage de poussière. Les badauds ont reculé d'un pas.

Pourquoi les choses doivent-elles changer ? Au début de notre histoire, Brigitte et moi passions le plus clair de notre temps dans ma petite chambre, à lire, manger, dormir et faire l'amour. Elle appréciait comme moi cette existence concentrée, invariable et entière. Elle disait que tout lui paraissait plus simple, plus fluide qu'avant. Nous vivions à notre rythme, protégés des violences extérieures, sans ressentir jamais le besoin de sortir.

Sortir ! Brigitte désormais ne songeait plus qu'à cela. À ses yeux, mon attachement exclusif à la littérature était un signe d'étroitesse d'esprit.

Pourquoi ne m'intéressais-je pas à la musique, comme tout le monde ? ou aux voyages ? Brigitte découvrait qu'elle me trouvait ennuyeux. Dans les derniers mois, elle avait manifesté plusieurs fois le désir de rencontrer de nouvelles personnes. Combien de temps encore sa soif d'aventures buterait-elle sur ma mélancolie ? De toute évidence, je ne pouvais pas satisfaire son besoin d'une vie plus dégagée.

Je me suis éloigné de la fenêtre et recouché. Sur la table de chevet étaient empilés plusieurs livres, parmi lesquels j'ai trouvé *Oblomov*, l'un de mes romans favoris. J'en ai effleuré la couverture en me rappelant que sa découverte avait coïncidé avec ma rencontre avec Brigitte. Dans les premiers temps de nos fréquentations, la lecture occupait une place de choix. J'invitais Brigitte dans ma chambre, elle s'allongeait sur mon lit, nous apprenions à nous connaître. Je lui lisais de brefs passages qui parlaient de moi : « Il n'était pas habitué au mouvement, à la vie, à la foule, à l'agitation. » Elle me souriait tendrement.

Cette époque me semblait lointaine, irréelle. N'avait-elle existé que dans mon imagination ?

Le besoin de parler à Brigitte m'a saisi brusquement. J'ai bondi hors de ma chambre, dévalé l'escalier et marché à pas rapides jusqu'à une cabine téléphonique située au coin de la rue. À quelques mètres de là s'abattait une pluie de bois, de verre, de brique, d'acier.

Lorsque sa voix s'est fait entendre au bout du fil, il m'est soudain apparu que je n'avais rien à dire à Brigitte. Je lui ai demandé des nouvelles de son séjour dans le Nord. Elle m'a exposé avec froideur les détails du « forfait détente » qu'elle s'était offert : massage, bain de boue, enveloppement d'algues. Cette énumération m'a laissé perplexe. Comme je ne réagissais pas, Brigitte a proposé que nous raccrochions.

Je suis remonté à ma chambre, lourd comme une pierre, après m'être arrêté un instant près du groupe des vieillards qui assistaient à la démolition de l'immeuble. Le spectacle s'était accéléré. On aurait dit que la pelle grugeait le bâtiment avec plus de conviction. De larges pans de murs se détachaient et tombaient comme au ralenti. Derrière le reste de la façade, on découvrait l'intérieur squelettique de l'immeuble.

Allongé sur mon lit, j'ai continué de guetter les travaux de démolition. Bientôt, il n'a plus subsisté qu'un paysage de ruines. Les machines ont disparu. On a fait place nette. C'était presque tout – un salon funéraire s'est élevé sur les lieux quelques mois plus tard.

2

Serait-ce jamais fini avec Brigitte ? Je la regardais qui avançait imprudemment sur un ponceau de planches pourries enjambant une vasque calcaire jaunâtre et fumeuse, me disant que notre histoire s'étirait au-delà du raisonnable. J'avais longtemps espéré qu'elle s'achèverait par elle-même, sans mon intervention – en quoi j'avais évidemment eu tort. J'apprenais que tout ce à quoi on ne met pas soi-même un terme se putréfie indéfiniment.

Assis sur un banc, en retrait de la zone des plates-formes de calcaire sédimenté au-dessus de laquelle Brigitte se baladait avec insouciance, son appareil photo accroché au cou, je lisais le prospectus qu'on nous avait remis à l'entrée du parc :

> *Beautiful but deadly: Yellowstone's hydrothermal features can kill you. Their waters are frequently near or above boiling. The crust*

surrounding them is thin, breaks easily and often overlies more scalding water. People have died in these pools. Be safe, be careful—enjoy the hydrothermal areas from a distance.

Cela me convenait. J'étais reconnaissant aux responsables du parc de me prévenir du danger que pouvaient constituer certaines conduites inconsidérées. De toute façon, contrairement à Brigitte, je n'étais pas du genre à prendre des risques. Je préférais me tenir à la lisière du monde, en retrait de l'action.

Assis sur un banc, je regardais donc Brigitte s'aventurer sur le ponceau en compagnie d'autres touristes qui, comme elle, s'émerveillaient du spectacle de la nature.

Lorsque je réfléchissais plus sérieusement à ma position, je me rendais bien compte que j'avais tout faux. Je me croyais à l'écart du monde alors que j'étais en plein dedans. Il n'y a d'ailleurs pas moyen de faire autrement. Naître, me disais-je, c'est être phagocyté par le monde. Comme le poisson n'a pas à sauter dans son bocal, on n'a pas à prendre quelque prétendu risque de vivre.

Abandonnant le prospectus sur le banc, je me suis levé et approché du ponceau. Je me suis appuyé à la rambarde et j'ai cherché Brigitte du regard. Lorsque je l'ai vue enfin qui, sur la pointe des pieds, en surplomb des longues traînées de vapeurs sulfureuses, me faisait signe au loin, j'ai feint de ne pas la remarquer et je suis retourné m'asseoir.

Cherchant à oublier Brigitte – et moi-même avec elle –, je me suis absorbé dans la lecture d'un magazine que j'avais acheté en prévision du voyage et qui était consacré au parc national de Yellowstone. J'ai appris que ce parc reposait sur un supervolcan ; sous mes pieds bouillonnait un lac de feu grand comme Tokyo. Lorsque ce réservoir de magma ferait irruption, ce qui arrivait tous les 600 000 ans environ, il dévasterait l'Amérique du Nord et répandrait assez de cendre pour obstruer la lumière du Soleil pendant plusieurs années, refroidissant considérablement le climat de la Terre. La dernière éruption datait de 640 000 ans.

J'ai refermé le magazine, songeur. Ce genre de découverte me mettait toujours dans un état de malaise indescriptible. Un documentaire présenté à la télévision sur la présence de trous noirs dans l'Univers, par exemple, me faisait le même effet. Comment les gens arrivaient-ils à regarder pareille émission sans cesser de respirer complètement ? Cela me dépassait.

Brigitte m'a rejoint quelques minutes plus tard. Elle m'a parlé avec émotion de la teinte éclatante des sources thermales et de la puissance des geysers. Je me suis plaint de l'insupportable odeur de soufre et j'ai proposé de quitter les lieux.

Dans le stationnement, tandis que le ciel rougeoyait sous l'effet du soleil déclinant, Brigitte s'est serrée contre moi et m'a dit qu'elle m'aimait. Ce voyage que nous avions entrepris ensemble à Yellowstone allait nous rapprocher, tel était son avis. Puis nous sommes montés à bord, et j'ai fait démarrer la voiture en songeant à l'étrange et déraisonnable idée que j'avais eue d'aller jouer aux touristes sur une bombe en puissance.

3

Brigitte et moi avancions dans les laves et les cendres, sous le soleil asséchant de midi, aimantés par la mer qui se profilait à l'horizon, au-delà de la savane herbeuse, entre les *moai*. Nous approchions de la falaise d'Orongo, au sud-ouest de l'île, face à laquelle nous découvririons l'îlot de Motu Nui.

Une heure plus tôt, Kromer nous avait expliqué que cet îlot était jadis le lieu de la cérémonie annuelle dite de l'homme-oiseau, au cours de laquelle était élu « second roi » celui qui avait déniché le premier œuf pondu par l'hirondelle de mer noire. J'avais écouté Kromer distraitement, à l'écart, le regard errant dans la tente où était déposé tout son matériel, caressant dans la poche de ma veste le canif argenté que Brigitte m'avait offert à mon anniversaire, tandis que Brigitte, elle, n'avait pas cessé d'interrompre Kromer pour l'interroger au sujet des mystérieux *moai*. L'origine et la signification de ces statues demeuraient incertaines, mais Kromer avait sa petite hypothèse à leur sujet – hypothèse qu'il se gardait bien de nous révéler. Salaud de Kromer. Sa leçon envoûtait Brigitte, dont les yeux qui brillaient me rappelaient ce qu'ils avaient été à l'époque où je l'envoûtais moi-même en lui faisant la lecture (mais la littérature, manifestement, ne l'enchantait plus). C'est à son invitation que nous l'avions accompagné sur l'île de Pâques, où il espérait enfin confirmer son hypothèse. Le résultat de ses recherches devait lui ouvrir grandes les portes de la gloire, prétendait-il. Je n'avais pas très bien compris en quoi nous lui serions utiles, mais Brigitte m'avait convaincu de le suivre avec elle.

Nous étions maintenant loin de Kromer, qui avait préféré demeurer au camp de base pour compiler des documents pendant l'après-midi. Après une heure de marche, nous avions enfin atteint la falaise d'Orongo, et Brigitte s'abîmait dans la contemplation de la mer qui pétillait à l'horizon – promesse d'une vie nouvelle ? invitation à la mort ? Mais non, la mer ne disait rien à Brigitte. Elle ne disait rien et je me tenais à son côté, en silence. Je me rappelais une autre chose que Kromer nous avait apprise à propos de l'île :

qu'elle était une partie émergée d'un énorme complexe volcanique sous-marin. Cette idée avait d'abord suscité en moi un trouble confus, qui avait ensuite pris la forme d'une apaisante impression d'impuissance. Un volcan est une montagne qui vomit du feu ; c'est ce qu'on m'avait expliqué, écolier. J'ai plongé la main dans la poche de ma veste et, au contact du métal froid du canif argenté, j'ai senti monter en moi une bouffée de rage. Brigitte, ai-je dit. Hmm, a-t-elle murmuré. Elle fixait toujours l'horizon. Ma main s'est décontractée, j'ai levé les yeux au ciel. Rien, ai-je dit. Le soleil claquait dans le vent comme un drapeau noir.

L'instant d'après, il m'a semblé que l'îlot de Motu Nui, devant nous, au-dessus duquel volaient des centaines d'oiseaux, m'invitait à sa découverte. Peut-être le premier œuf pondu par l'hirondelle de mer noire m'était-il promis ? Peut-être serais-je élu second roi ? Mais alors, qui était le roi ? J'ai aussitôt compris qu'aucune invitation ne m'était lancée, qu'aucune couronne ne m'était destinée.

Vers la fin de l'après-midi, nous avons rejoint Kromer au camp de base. Pendant le repas, il nous a parlé de ses recherches, a évoqué sa gloire prochaine, imminente, et Brigitte l'a écouté avec recueillement. N'en pouvant plus, je suis sorti de la tente et me suis éloigné du camp.

Les ombres des *moai* alignés dos à la mer se couchaient sur la savane, longues et inquiétantes. Ma place était auprès d'elles, de ces ombres, parmi lesquelles je suis allé m'allonger calmement. Le ciel commençait à s'obscurcir ; bientôt le jour s'achèverait enfin. J'ai sorti le canif argenté de la poche de ma veste et fait jouer sa lame contre la paume de ma main. Puis je l'ai empoigné fermement et l'ai enfoncé dans le sol en appelant à moi une nuit de basalte et de sang qui me recouvrirait.

Le tunnel

1

Dans sa cabine, Beaumont assurait le contrôle du tunnelier. Soutenu dans sa tâche par une équipe à l'extérieur avec laquelle il était en communication téléphonique permanente, il surveillait ses écrans et procédait à d'infimes réglages. La machine progressait dans le roc selon un tracé rectiligne qui traversait la montagne.

Son quart de travail terminé, Beaumont arrêta le moteur et s'extirpa de la cabine. Il patienta quelques minutes le long des rails, poussant de vagues cailloux du bout du pied, le temps que Whitaker, son collègue, le second pilote, apparaisse et prenne la relève. Il avait hâte de quitter le cœur glacé de la montagne et rêvait de sommeil. Il fourra ses mains dans ses poches en frissonnant.

Heureusement, Whitaker ne tarda pas. Ils échangèrent des informations sur les travaux. On avançait de cinq mètres par jour à peine, et la direction, qui commençait à s'énerver, demandait qu'on accélère la cadence afin de respecter l'échéancier. Beaumont et Whitaker savaient, bien sûr, à cause de la nature incertaine du terrain, que cela n'était pas possible. Excédés, ils pestèrent ensemble contre l'incompétence des chefs et blâmèrent leur gestion aveugle exercée au mépris de la géologie.

Marchant à pas rapides vers la sortie, Beaumont songea que ce tunnel serait son dernier.

Dehors, le jour se levait. Le chantier baignait dans une lumière dorée, déjà très chaude. L'horizon annonçait des heures brûlantes. On entendait craqueter des cigales malgré le grincement continu de la machinerie. Rassemblés à l'écart des installations, tels de véritables monuments, les voussoirs de béton projetaient sur la plaine leurs ombres immenses.

Ayant salué de loin les membres de son équipe, Beaumont s'éloigna dans la direction opposée, vers le parc de roulottes. Suivant un sentier boueux, il rejoignit la sienne, qu'il partageait avec Whitaker. Gagnée comme les autres par la rouille et la moisissure, elle n'était d'aucun réconfort aux deux hommes, et Beaumont se désespérait à la pensée de devoir y loger plusieurs mois encore. Il retira ses bottes sur le seuil et s'y enferma avec écœurement.

À l'intérieur régnait un désordre innommable. Beaumont prit un bout de saucisson dans le réfrigérateur, se fraya un chemin jusqu'à sa couchette, enleva sa veste et s'allongea à demi. Le regard perdu dans le vide, il commença à ronger sa pitance en considérant sa situation pour une énième fois.

Elle lui paraissait sans issue. Il en avait assez de creuser des tunnels, se croyait résolu à refuser toute offre de travail qu'on lui ferait désormais dans cette spécialité, mais il ne savait toujours pas, une fois le tunnel du Village achevé, à quoi il se consacrerait. Plus il y réfléchissait, plus il lui semblait que rien, dans l'éventail des activités humaines, ne lui convenait vraiment.

Il rejeta son saucisson. Il se coucha tout à fait et ferma les yeux.

Il sentit venir rapidement le sommeil. Il rêva bientôt qu'il était un cactus, qu'il s'épanouissait en tant que plante, que sa vérité résidait dans le règne végétal. Ses racines plongeaient dans la terre et s'y développaient, imprévisibles, en des tortuosités heureuses. Après un certain temps, toutefois, il se mit à éprouver avec violence une soif qui le brûlait. Son être s'asséchait. Quoique cactus, il souffrait de l'aridité du climat. Il comprit alors avec angoisse qu'il avait manqué sa vocation et qu'il lui aurait fallu vivre plutôt en tant que poisson, dans l'élément liquide.

Il se réveilla en sursaut, ses vêtements trempés de sueur. La roulotte était chaude comme une serre. Il se leva lourdement, l'œil trouble, la bouche pâteuse, et se traîna dehors. Le soleil flambait au zénith, et le paysage vacillait dans une atmosphère d'étuve. Beaumont plissa les yeux, chercha de l'air, hésita à s'avancer. La rumeur du chantier lui parvenait de manière plus indistincte que d'habitude.

Au moment où il se décidait à s'asseoir, il aperçut une silhouette qui montait dans le sentier et qui approchait de la roulotte. Beaumont finit par y reconnaître Whitaker. Il consulta sa montre, vit qu'il était midi et se demanda pourquoi son collègue rentrait si tôt. D'autres ouvriers le suivaient.

Arrivé à sa hauteur, Whitaker lui annonça qu'une panne du système électrique forçait l'interruption des travaux. Beaumont se frotta le visage et se répéta les paroles de Whitaker. Il sentait que son esprit était englué, qu'il fonctionnait au ralenti. Une panne du système électrique ? L'interruption des travaux ?

Un puissant battement d'hélices, dans le ciel, soudain, attira leur attention.

2

L'hélicoptère survolait le chantier. Après de longues minutes d'une observation silencieuse, Georges Baloney demanda au pilote de prendre de l'altitude et de gagner l'autre versant de la montagne.

Baloney, l'air soucieux, réfléchissait au retard pris dans la construction du tunnel. Il était impatient. À elle seule, la route avait nécessité six mois de travaux supplémentaires. Il se reprocha d'avoir sous-estimé la durée du projet. Mal entouré, mal conseillé, il avait l'impression d'avoir approuvé, depuis le début, une série de décisions douteuses.

L'hélicoptère s'éleva. Baloney tâcha de se défendre contre le découragement. L'échéancier, au fond, se dit-il, importait peu. Le parc de loisirs auquel il rêvait depuis vingt ans allait se faire, et ce serait un endroit enchanteur comme il l'avait imaginé. Il suffisait de patienter, de tenir le cap.

Il ferma les yeux et vit en esprit son Village médiéval. Autour de manèges et de glissades d'eau de dimensions formidables, ce serait un véritable théâtre vivant plongeant les visiteurs dans le Moyen Âge. Animé en permanence par des centaines de comédiens en costumes d'époque, le lieu proposerait une expérience hors du commun, à la fois jeu de rôle et voyage dans le temps.

Bouillonnant d'idées, Baloney précisait chaque jour son projet. Il concevait les plans de nouvelles installations, élaborait des programmes d'activités. La veille encore, il avait eu la vision d'un tournoi, d'un banquet et d'une leçon sur le maniement des armes, et celle de l'adoubement, à leur arrivée au parc, des visiteurs ayant opté pour le forfait le plus coûteux.

Il rouvrit les yeux, grisé par le génie de son inspiration. L'hélicoptère rasait la montagne. C'était un roc escarpé et stérile, très haut, où ne poussaient que des choses déjà mortes. Le soleil chauffait tant le paysage qu'il paraissait le liquéfier, et l'aéronef progressait dans l'air à la manière d'un submersible.

On entrevit bientôt le versant caché.

Du haut du ciel, Baloney examina le terrain du parc futur, d'une étendue considérable. Il se représenta le Village médiéval avec, en son centre, un château dissimulant un hôtel. Il s'émut à la pensée d'une fortification ceignant l'ensemble, de fossés profonds, d'un pont-levis par où passerait le train à grande vitesse venu de la capitale, à six cents kilomètres de là. L'isolement du lieu le ravissait.

Baloney demanda au pilote de se poser. L'hélicoptère amorça sa descente à bonne distance de la montagne et alla toucher terre lentement. La manœuvre exécutée, le moteur éteint, Baloney fit basculer son corps d'obèse hors de l'appareil. Les deux hommes firent quelques pas ensemble, puis Baloney dit qu'il souhaitait explorer les alentours.

Il s'éloigna.

Il foulait le sol où son rêve prendrait forme, son rêve si longuement mûri. Il se rappela avec émotion l'époque où, enfant, il jouait au chevalier avec une merveilleuse épée en bois que son père lui avait fabriquée. Il éprouva le vif désir de savoir ce que cette épée était devenue et pensa qu'il faudrait offrir à chaque enfant visitant le parc une épée semblable.

L'espace infini invitait à l'introspection, au souvenir, au vertige.

Soudain, la chaleur accabla Baloney. Il se rendit compte qu'il respirait de plus en plus difficilement. Il tira un mouchoir de la poche de sa veste et s'épongea le front. Sa vue se brouillant, ensuite, comme en un éclair, il s'inquiéta et voulut revenir à l'hélicoptère. Il tourna sur lui-même et chercha l'appareil du regard avant de le distinguer dans le flou, tout proche.

Il le rejoignit en chancelant et, d'une voix faible, demanda de l'eau. Le pilote, qui avait la tête plongée dans le moteur, lui jeta un coup d'œil et vint vers lui. Il l'aida à s'asseoir dans le peu d'ombre que faisait l'hélicoptère et lui tendit une bouteille. Interrogé sur ce qu'il faisait, il lui dit que le moteur nécessitait une réparation, que c'était l'affaire d'une demi-heure.

Baloney se mit à fixer la montagne. Elle vacillait sous son regard, et il douta un instant de sa réalité. Il crut voir des pierres se détacher de la paroi et s'imagina que le tunnel allait apparaître, qu'on finissait de le percer. Il s'aspergea le visage d'eau froide, mais l'image du tunnelier débouchant devant lui persista. L'impatience le regagna à la pensée de l'intolérable délai qui le séparait de son projet enfin réalisé. Une colère confuse, sans objet, s'empara de lui.

Agité, transpirant, le souffle court, il se sentit au cœur une douleur foudroyante.

3

Adossé à sa roulotte, Whitaker observait quelques-uns de ses collègues qui se rafraîchissaient sous un jeu d'eau rudimentaire qu'on avait échafaudé à l'écart (c'étaient trois boyaux entortillés autour d'un long pieu, négligemment fixés à son sommet et qui se tordaient sous la pression de l'eau).

D'autres ouvriers, comme Whitaker, restaient immobiles à l'ombre des roulottes.

L'après-midi ne passait pas. L'activité du chantier n'avait pas repris. On attendait toujours que le réseau électrique soit réactivé et l'on tâchait, pendant ce temps, de lutter contre la chaleur, de se protéger du soleil de feu, d'imaginer qu'il y avait quelque part de la glace.

Whitaker, qui était responsable de la panne, savait qu'elle ne serait pas résolue avant plusieurs heures. Il avait agi de sorte que le problème apparaisse difficile à régler aux électriciens. Le congé forcé qui résultait de cette action le plongeait dans une douce allégresse, et il souhaitait le voir se prolonger à jamais. En secret, Whitaker élaborait un plan qui ruinerait définitivement les projets de tunnel et de parc de loisirs.

Les mains dans les poches, l'air de rien, il réfléchissait à un moyen de faire exploser le tunnelier.

Beaumont sortit de la roulotte et le rejoignit en bâillant. Il lui demanda s'il y avait du nouveau, ce à quoi Whitaker répondit que non, puis il retira son tee-shirt et se dirigea vers le jeu d'eau.

L'idée effleura soudain Whitaker qu'il pourrait faire de Beaumont son allié. Il se rendait compte que, seul, il n'arriverait pas à atteindre son but. La suite de son entreprise exigeait qu'il s'adjoigne au moins une personne de confiance, et Beaumont, aigri par son travail, fatigué de creuser, était un candidat de choix. Whitaker ignorait si son collègue partageait la haine furieuse qu'il nourrissait pour Georges Baloney, mais il s'estimait capable, dans le cas contraire, de le convaincre de la catastrophe que représentait le nouveau projet du célèbre entrepreneur.

Il sentit son sang s'échauffer. L'image du gros Baloney l'agitait de plus en plus. L'expérience lui dictait de fixer son attention sur un objet moins douloureux, mais ce n'était pas possible. Non, ce n'était pas possible. Les parcs de loisirs de Georges Baloney défilaient dans son esprit, innombrables et abominables. Il y en avait partout, et Whitaker, tourmenté par la vision d'horreur d'un monde couvert de montagnes russes, de glissades géantes et de piscines à vagues, d'une planète transformée en un immense terrain de jeu, éprouva avec rage le sentiment de son impuissance.

La panne électrique qu'il avait provoquée lui parut soudain bien dérisoire. À l'évidence, la complicité de Beaumont ne suffirait pas, il lui faudrait une équipe nombreuse. Il imagina qu'une insurrection éclatait sur le chantier et qu'elle gagnait le reste du monde, qu'elle triomphait des manifestations mégalomaniaques de Georges Baloney en rétablissant partout le calme, le silence, la paix des premiers âges.

Ah ! pourquoi l'humanité s'agitait-elle ainsi ? N'aurait-il pas été souhaitable de tout arrêter ?

Il se mit à marcher le long de sa roulotte, impatient de voir s'effondrer l'empire Baloney. Après le Village médiéval, l'urgence s'imposerait de s'attaquer au Parc des dinosaures, dont on avait annoncé l'agrandissement prochain. Puis il faudrait envisager la destruction du Jardin des fées et du Pays des cow-boys, sans oublier le parc thématique inspiré du *Livre de la jungle*, monstruosité au cœur de la forêt indienne. Mesurant l'ampleur de sa tâche, Whitaker redouta qu'il ne soit déjà trop tard.

Personne, d'ailleurs, n'accepterait de l'aider. Le développement de l'industrie du loisir, tel qu'il se révélait dans l'œuvre de Georges Baloney, était l'expression d'une effroyable folie que Whitaker semblait seul à reconnaître. À quoi bon se mentir ? Il était condamné à une action solitaire aux effets très limités.

Beaumont revint du jeu d'eau, tout sourire. La douche en plein air lui avait fait le plus grand bien. Il suggéra à Whitaker d'aller se rafraîchir à son tour. Whitaker hésita, lui fit un vague signe de la tête, puis le laissa sans lui répondre.

Il marcha à pas lents vers le chantier en essayant de voir, de loin, si l'on avait résolu la panne.

Arrivé près des installations, il vit qu'un attroupement se formait devant la roulotte du contremaître. Il s'approcha avec les autres, tandis que la rumeur se répandait comme une traînée de poudre que Georges Baloney était mort. Entendant cela, Whitaker eut un instant de défaillance, sa vue s'altéra, ses jambes fléchirent, son cœur se serra inexplicablement. Le contremaître apparut sur le seuil de la porte pour confirmer la nouvelle.

On se dispersa lentement. La fin du jour approchait, la chaleur commençait à tomber. Whitaker hésita à reprendre le chemin boueux du parc de roulottes et regarda vers le groupe des électriciens qui s'activaient près des machines. Ils avaient l'air de s'énerver, de se disputer peut-être.

Whitaker s'éloigna, soudain très las, et, rejoignant la zone où étaient rassemblés les gigantesques voussoirs, se laissa glisser dans leurs ombres en attendant la nuit.

Au travail

1

Vincent Kolozsvary avançait vers l'horizon, dans la neige, son havresac sur le dos. Devant lui s'étendait l'infini de la plaine, où il n'y avait absolument rien à voir. Le regard glissait sur ce paysage de lumière blanche sans rencontrer la moindre aspérité. Brisé de fatigue et d'ennui, Kolozsvary commençait à regretter l'obscurité de sa vie ancienne.

Depuis combien de temps avait-il quitté le Centre ? Il l'ignorait. À l'extérieur, dans le froid et la solitude, les jours se ressemblaient tous.

Vers la fin de l'après-midi, Kolozsvary devina au loin, sous la forme d'un point minuscule, la cabane où il passerait la nuit. Il accéléra le pas. Il avait envie de s'enfermer. Un besoin impérieux de cloisons le gagnait. L'espace qui l'entourait l'oppressait par son immensité. Kolozsvary comprenait qu'il manquait à la plaine, pour qu'elle lui soit tolérable, un plafond et des murs. Il ne pouvait pas en supporter la vue en permanence. Il découvrait que la vie nouvelle qu'il avait choisie ne convenait pas à son tempérament et qu'il aurait mieux fait de rester en poste au Centre, avec les autres spécimens de son espèce, à remuer des papiers dans l'atmosphère humide des caves. Son goût de l'aventure l'avait trompé. Partir, changer d'air, vivre enfin... Ce n'était pas possible pour lui.

La nuit tombait quand il atteignit enfin la cabane, une toute petite habitation en planches, basse et sans fenêtres. Il la contourna pour rejoindre le puits d'accès à la ville souterraine situé à une trentaine de mètres de là. Dans le grand seau en métal qu'on avait fait monter jusqu'à lui, son repas du soir l'attendait, emballé dans du papier d'aluminium. Kolozsvary le recueillit et le remplaça dans le seau par le contenu de son sac, des enveloppes et des colis de tailles diverses. Cette dernière action accomplie, il revint sur ses pas et s'engouffra dans la cabane.

À l'intérieur, Kolozsvary trouva une paillasse trouée, une couverture, un fanal et quelques allumettes. L'aspect des lieux ne variait guère d'une cabane à l'autre, mais Kolozsvary ne s'y faisait toujours pas : cette pauvreté sans réconfort à laquelle il se voyait chaque soir condamné minait sa résistance. Bientôt, ses forces morales seraient complètement épuisées. Ne comprenait-on pas cela, en bas, dans les bureaux de l'administration ? Ne se souciait-on pas du bien-être du personnel de surface ? Kolozsvary alla s'allonger sur la paillasse en pestant intérieurement contre l'incompétence des chefs, puis il entreprit de manger dans le noir.

Sa pitance de pommes de terre tièdes et farineuses acheva vite de le décourager. Il repoussa le paquet d'aluminium et se replia en boule, la couverture remontée sur la tête. Il émit des sons de petite bête blessée, voulut pleurer, mais ses yeux restèrent secs. Il pensa avec regret à son emploi abandonné au Centre des envois non distribuables et aux tâches simples, stupides, qu'il devait accomplir quand il l'occupait encore : déchiffrer des écritures illisibles, consulter la base de données, classer le courrier, remplir des rapports… Il pensa à la vie de bureau qui continuait sans lui, plusieurs mètres sous terre. Il pensa à ses collègues et à leur conversation insipide. Il pensa au dortoir, à la cafétéria, au gymnase. Il pensa à l'horaire inflexible qui rythmait ses jours de manière si rassurante dans la communauté de la Société des postes. Ah ! comme cette communauté lui manquait désormais ! Il se repentait d'avoir manifesté le désir d'une nouvelle affectation. Et il en voulait confusément à son supérieur d'avoir répondu à ce désir – ce qui, au fond, se disait-il, n'aurait jamais dû arriver.

Qu'avait-il donc espéré en montant à la surface ? La nature inhospitalière de la plaine rendait toute fuite improbable. Il n'y avait nulle part où aller. Quant à revenir en arrière, il ne fallait pas y penser. Le chemin qui aurait ramené Vincent Kolozsvary au Centre n'existait pas. On ne revenait pas au Centre une fois qu'on l'avait quitté, c'était ainsi. Kolozsvary savait que, pour ne pas mourir de faim, il n'avait pas le choix de poursuivre sa route dans la direction qu'on lui indiquait au matin. Sa boussole à la main, il continuerait donc à porter le courrier d'un puits à l'autre dans la plaine solitaire, avec à la tombée de la nuit le sommeil pour seule consolation, le sommeil dur et bienfaisant dans lequel il sombrait si facilement, comme une pierre dans une eau calme.

Kolozsvary s'endormit et rêva qu'il redescendait sous terre. Par un hasard miraculeux, il avait retrouvé le passage vers le Centre. Il pénétrait dans une grotte et marchait pendant des heures, s'éclairant d'une lanterne, dans un dédale de couloirs étroits et sombres. Il s'arrêtait dans des galeries, hésitait un moment entre deux ouvertures, puis s'enfonçait davantage dans le roc. Les parois suintaient, il faisait froid, l'endroit était traversé de courants d'air, mais Kolozsvary continuait d'avancer. Il devait parfois se coucher à plat ventre et ramper dans l'eau, genoux et coudes écorchés. Sa respiration devenait de plus en plus difficile. Le silence de la vie minérale commençait à l'effrayer. Bientôt, cependant, une lueur vacillante, au loin, attira son attention.

C'était un rayon de soleil qui avait percé la cabane entre deux planches mal jointes et l'avait réveillé. Kolozsvary fixa un instant le plafond de la cabane, étonné de ne pas se trouver rampant au fond d'un souterrain. Avec quelle grossière insistance le monde s'imposait-il chaque matin à la conscience !

Kolozsvary se leva péniblement, sortit de la cabane, la contourna et se dirigea d'un pas lent vers le puits. Dans le seau, il trouva un quignon de pain et le courrier du jour accompagné d'une note indiquant la direction qu'il lui fallait suivre (ouest). Il mit le courrier dans son sac et mordit dans son illusion de déjeuner.

L'idée lui vint alors de se jeter dans le puits. Pourquoi n'y avait-il pas pensé plus tôt ? C'était si simple. Mourir. Quand on découvrirait son cadavre disloqué, en bas, on comprendrait qu'on avait eu tort de le traiter avec si peu d'égards, on s'en voudrait terriblement de n'avoir pas deviné sa souffrance. Se tuer, ce serait pour Kolozsvary une façon de se venger, de faire payer à l'administration le traitement de pauvreté et d'ennui qu'elle lui imposait depuis son entrée en poste dans la plaine.

Cependant, Kolozsvary n'avait pas envie de mourir. Et cette idée de vengeance par suicide, à la réflexion, lui paraissait plutôt puérile.

Tandis qu'il tournait autour du puits en mangeant son morceau de pain, Kolozsvary eut une seconde idée, moins radicale : il s'accrocherait à la corde et se laisserait glisser doucement jusqu'en bas. Il savait qu'il n'en avait pas le droit (on ne descendait pas dans une ville par un puits de la Société des postes, c'était ainsi), qu'il serait sans doute arrêté dès son arrivée, peut-être condamné et emprisonné (il ne connaissait que par ouï-dire les conséquences possibles d'un tel acte), mais, enfin, il ne voyait pas d'autre issue à sa situation. N'était-il pas, au demeurant, déjà condamné à la plaine comme à une prison sans murs ?

Il se pencha au-dessus du puits, moins pour

évaluer sa profondeur – on n'y voyait goutte – que pour se convaincre de la réalité de son projet. Oui, se dit-il, il faut y aller, j'y vais, je descends. Il se libéra de son havresac, le déposa sur le sol et enjamba la margelle du puits.

Une dernière hésitation lui fit toutefois lever les yeux vers la plaine. Le paysage était nu, sans ombre, comme lavé par la lumière – identique à ce qu'il avait été la veille. Kolozsvary n'en pouvait plus de cette blancheur sans nuance, de cette neige et de ce ciel, il détestait le soleil cru et les nuages informes, il en voulait à l'horizon de toujours s'éloigner ; son dégoût et sa haine touchaient leur point culminant.

Enfin résolu à quitter la surface de ce monde, Kolozsvary s'accrocha à la corde, posa un pied dans le seau en métal et commença à descendre par à-coups en usant de son autre pied comme d'un frein sur la paroi circulaire du puits. Lorsqu'il fut environ à une trentaine de mètres sous terre, il leva la tête et jeta un dernier regard vers la lumière ; ce n'était plus qu'une petite tache, comme une étoile au fond du ciel. Puis il plongea franchement dans l'obscurité.

Il descendit très vite, sans crainte, impatient de serrer une main et de parler à quelqu'un – lui qui ne s'était jamais considéré que comme un misanthrope. Il ne redoutait plus son arrestation et s'imaginait plutôt des retrouvailles émouvantes avec les hommes. La chaleur d'une peau, le timbre d'une voix, la beauté d'un corps étranger... Il en frissonnait presque.

Bientôt, cependant, sa plongée vers la ville fut interrompue brusquement. Le puits avait rétréci à la manière d'un entonnoir ; sa circonférence diminuée de moitié, il ne laisserait plus passer que le seau. Pris de panique, se retenant par la corde et s'appuyant du mieux qu'il le pouvait contre la paroi du puits, Kolozsvary se demanda comment il se tirerait d'affaire. En évaluant l'effort énorme qu'il lui faudrait fournir pour remonter à la surface, une bonne centaine de mètres au-dessus de lui, Kolozsvary se sentit absolument sans courage ; il fut tenté d'y renoncer et de s'abandonner à la mort.

Mais l'idée d'assister dans ce puits au dessèchement progressif de son corps, d'attendre sa propre disparition dans la soif et la faim, lui apparut vraiment atroce. Dans un ultime sursaut d'énergie, il tira sur la corde et commença à remonter péniblement vers la lumière.

Tout au long de son ascension, Kolozsvary ragea, les larmes aux yeux, à la pensée de son échec. Sa haine pour l'administration de la Société des postes s'était retournée contre lui-même. Se jugeant désormais seul responsable de la situation impossible dans laquelle il se trouvait, il maudit son existence ratée, sa personnalité rêveuse, son humeur instable, son incapacité à se contenter de ce qu'il avait. Cette manie de vouloir changer de place ! Était-ce si difficile de comprendre la chance exceptionnelle qu'il avait de marcher dans la plaine, au soleil d'hiver, sans être embêté par rien ni personne ? Il savait que des milliers d'employés du Centre enviaient sa position. Aussi n'avait-il aucune raison de s'en plaindre, bien au contraire : si les circonstances l'avaient favorisé, il fallait se montrer à la hauteur.

Parvenu à une vingtaine de mètres de la surface, Kolozsvary sentit ses forces fléchir. Il crut qu'il tomberait et ferma les yeux. Ses mains, toutefois, figées dans leur position, ne lâchèrent pas la corde. Et ses jambes sous lui ne cédèrent pas. Il parvint ainsi, grâce à quelque mystérieux ressort caché, à se hisser jusqu'à la margelle du puits avant de basculer lourdement dans la neige.

Allongé sur le dos, les yeux au ciel, Vincent Kolozsvary reprit haleine en goûtant sur sa peau la chaleur du soleil merveilleux. Il était sain et sauf, il avait un travail, la vie le comblait de faveurs. Sans plus tarder, il se releva, s'empara de son sac, consulta sa boussole et se mit à courir à toutes jambes, vers l'ouest, pour combler le retard pris bêtement sur l'horaire de distribution.

2

Après de longues années de chômage, l'occasion se présentait enfin à Henri Bobovnikoff de réintégrer la vie active.

En répondant à l'offre d'emploi de la Société des postes publiée dans le bulletin hebdomadaire de la Ville – offre dont il avait pris connaissance une semaine en retard –, Bobovnikoff avait agi machinalement, sans rien espérer d'une telle démarche qui, entreprise cent fois, l'avait toujours déçu. Le travail étant rare, il s'était figuré que la place qu'il sollicitait serait prise avant même que sa candidature n'arrive au Bureau d'embauche.

Or, deux jours plus tard, on lui avait téléphoné pour le convoquer à une entrevue.

Assis sur le bout d'une chaise, Bobovnikoff patientait dans le hall de la Société. Le dos droit, les mains jointes, se tortillant dans son costume trop ample acheté en solde, Bobovnikoff essayait de se donner une contenance. Il ne pouvait s'empêcher de jeter des regards furtifs aux autres candidats qui attendaient à ses côtés et qui, dans leur pantalon et leur veston bien ajustés, lui paraissaient plus dégagés, plus confiants.

Cependant, personne ne faisait attention à eux : la réceptionniste feuilletait un magazine en parlant au téléphone et les employés qui passaient par le hall leur accordaient à peine un regard. Henri Bobovnikoff enviait leur position et cherchait à surprendre, dans le moindre mouvement ou la moindre parole, une sorte de signe caché, secret, la clé de la conduite conforme qui lui ouvrirait la porte d'une carrière. Il redoutait plus que tout le faux pas qui lui fermerait l'accès à cette communauté et se lançait dans des calculs farfelus, fondés sur une interprétation erronée de l'activité du hall, qui n'avaient pour effet que d'accroître sa nervosité.

Il s'efforça de se calmer, se raisonna. La Société des postes, organisation sérieuse, ne devait-elle pas embaucher son personnel sur le seul critère de la compétence ? Il suffirait à Bobovnikoff de faire valoir la sienne. Ses chances de succès, en somme, pour autant qu'il pouvait en juger, équivalaient à celles des autres postulants ; son allure et sa personnalité ne changeraient rien à l'évaluation qu'on ferait de son dossier. Il s'appliquerait donc à démontrer de manière indiscutable qu'il satisfaisait aux conditions requises pour occuper l'emploi. Ce qu'on déciderait ensuite ne dépendrait plus de lui.

À ces pensées, Bobovnikoff se détendit quelque peu ; il s'adossa à sa chaise et décroisa les mains. Pour la première fois, il envisagea la possibilité d'obtenir réellement le poste convoité. Il imagina ce que deviendrait sa vie si cela se confirmait. Il se mit à rêver d'une promotion, d'une ascension rapide au sein de la Société. Peut-être même serait-il envoyé un jour à la surface, dans la plaine ?

Il commençait à s'emballer lorsque la personne responsable du recrutement, une jeune femme en tailleur, tirée à quatre épingles, se présenta dans le hall pour les inviter, lui et les autres candidats, à la suivre jusqu'à la salle où aurait lieu le premier de trois tests éliminatoires.

Bobovnikoff sentit son cœur bondir. Des tests ? songea-t-il. Au téléphone, on lui avait parlé d'une entrevue, mais pas d'une série de tests ! Sans doute la faute lui incombait-elle, à lui qui n'osait jamais poser de questions par crainte de paraître importun. Ah ! que n'était-il moins timide ! À présent, toute sa fragile confiance s'écroulait à la perspective de ces tests auxquels il n'était pas préparé. Il se voyait déjà les échouer et rentrer chez lui, penaud, reprendre sa vie de misère. Cette nouvelle était une catastrophe.

Toutefois, Bobovnikoff se concentra sur la jeune femme. Avant de les conduire à la salle de test, elle faisait signer aux candidats un contrat qui les engageait à la plus stricte confidentialité. Bobovnikoff se plia à cette mesure comme tout le monde. La jeune femme leur remit ensuite des badges qui serviraient à les identifier. Docilement, Bobovnikoff épingla le sien sur sa veste, au niveau du cœur.

Cette formalité accomplie, les candidats franchirent une porte massive au-delà de laquelle se trouvaient les services administratifs de la Société. Pendant de longues minutes, ils marchèrent en silence dans un très large corridor sur lequel donnaient des dizaines de bureaux grouillants d'activité et où Bobovnikoff, rêveur, n'y résistant pas, se projeta en imagination... ce qui le revigora quelque peu. Au bout d'un quart d'heure, la jeune femme les introduisit dans une sorte de petite salle de classe où elle les invita à s'asseoir à des pupitres.

Le premier test, expliqua-t-elle, porte sur

votre capacité à assumer les tâches liées au poste qui fait l'objet du présent concours.

Elle distribua ensuite à chacun un cahier et un stylo, puis quitta la pièce après avoir annoncé qu'elle reviendrait ramasser les copies une heure plus tard.

Bobovnikoff recommença à douter de sa valeur et du fait qu'il aurait la moindre chance d'être sélectionné. Les autres candidats, qui s'étaient déjà mis au travail, s'imposèrent soudain dans son esprit inquiet comme des intelligences supérieures.

Il ouvrit néanmoins son cahier. Le test était séparé en trois sections. Dans la première section, on exigeait du candidat qu'il déchiffre des écritures illisibles ; dans la deuxième, qu'il classe des adresses postales ; dans la troisième, qu'il décèle des fautes d'orthographe, de grammaire et de syntaxe dans un rapport type, du genre qu'il aurait lui-même à rédiger dans le cadre de ses fonctions.

À son grand soulagement, Bobovnikoff n'éprouva aucune difficulté à passer au travers de chacune des sections. Somme toute, pensa-t-il en refermant son cahier, il ne s'agissait pas d'un test bien difficile. Il regagna confiance ; la Société des postes baissa même légèrement dans son estime. Quoi ! c'était donc pour cela qu'on l'avait convoqué ? pour cette farce d'épreuve ? Il se demanda s'il ne s'était pas mépris sur la valeur réelle d'une place à la Société des postes. En tout cas, lui, Henri Bobovnikoff, il valait mieux que ça, il valait mieux que ces petites tâches stupides de gratte-papier dont le test venait de lui donner un aperçu.

Et les autres ? pensa-t-il. Les autres, qui avaient également refermé leur cahier, semblaient tout aussi satisfaits. La tête haute, la poitrine gonflée d'orgueil, pianotant d'une main sur leur pupitre, ils affichaient une assurance qui ne devait laisser aucun doute sur la facilité avec laquelle ils avaient réussi l'épreuve. Bobovnikoff, pour qui ce n'était pas naturel, essaya de régler son attitude sur la leur.

Une fois que la jeune femme en tailleur, revenue dans la salle, eut ramassé les cahiers, elle invita le groupe à la suivre de nouveau. Les candidats reprirent leur marche dans le long corridor. Bientôt, ils ne passèrent plus devant des bureaux, mais devant un dortoir, une cafétéria, une salle de jeu – tous vides à cette heure du jour. Bobovnikoff comprit qu'il s'agissait du milieu de vie des employés. Ah ! que n'aurait-il donné pour profiter de ces espaces organisés ! Au lieu de cela, il devait se contenter d'une minuscule chambrette mal chauffée dans un immeuble insalubre du quartier des sans-emploi. Au souvenir de ce qui l'attendait à l'extérieur des murs de la Société des postes, Bobovnikoff tempéra son ardeur ; il résolut d'accepter de bonne grâce le travail qu'on lui offrirait, si peu exaltant soit-il. La dureté des temps ne lui permettait pas de lever le nez sur une telle occasion.

Cependant, rien n'était gagné : il restait toujours deux tests éliminatoires.

Le deuxième test aurait lieu dans le gymnase de la communauté. La jeune femme venait d'y introduire les candidats, et Bobovnikoff écoutait ses explications.

Nous souhaitons maintenant évaluer votre condition physique, dit-elle. La Société tient à ce que tous ses employés, peu importe leur poste, montrent une vigueur exceptionnelle, de manière qu'ils puissent occuper, le cas échéant, n'importe quel emploi au sein de l'organisation. En cherchant à tenir le plus longtemps possible, vous marcherez dans ce gymnase avec sur le dos un sac rempli de lettres et de colis.

Les candidats obtempérèrent. Ils enlevèrent leur veston, se chargèrent d'une espèce de havresac et, instinctivement, se mirent à marcher en rond d'un pas cadencé. Plus grand et plus maigre que les autres, avançant à longues enjambées,

Bobovnikoff se retrouva en tête de peloton – du moins pour un temps. Excité par la course, il avait mal calculé son effort et, le souffle court, fut forcé de ralentir. Bien vite, deux candidats le dépassèrent. Il s'en voulut et chercha en vain à reprendre la tête.

Trois heures s'écoulèrent. Dernier du peloton, Bobovnikoff ne songeait plus qu'à durer. Il souffrait, maudissant sa faible constitution, son manque de résistance. Ses jambes cédaient peu à peu sous le poids du havresac dont les sangles, de surcroît, lui déchiraient les épaules, et il sentait au niveau du cœur une douleur irradiante qui l'enflammait. Déterminé à ne pas se laisser distancer davantage, il puisait au fond de lui-même un reste d'énergie qui serait bientôt complètement épuisé.

Cette marche absurde le décourageait. Après le succès du test écrit, elle constituait pour lui une terrible déconvenue et compromettait sérieusement ses chances de se distinguer des autres candidats. Il se sentait plus loin que jamais des employés de la Société des postes, dont quelques-uns venaient justement d'apparaître dans la piscine de la communauté, derrière la grande baie vitrée du gymnase. À chaque tour, sous sa chemise collante de sueur, Bobovnikoff leur jetait un coup d'œil jaloux.

N'en pouvant plus, il s'écroula. Il crut du coup que son espoir de travail venait de s'évanouir. Il n'y aurait pas de vie nouvelle.

Or les autres candidats, par une coïncidence singulière, s'étaient tous écrasés à peu près au même instant. Ils gisaient maintenant sur le sol du gymnase, la poitrine haletante et les yeux vitreux. Ainsi, pensa Bobovnikoff en relevant la tête, personne n'avait tenu plus longtemps qu'un autre ; les chances restaient donc égales. Son avenir refusait de se boucher.

La jeune femme accorda aux candidats une demi-heure de repos. Ils se rafraîchirent au vestiaire, chacun dans son coin. Bobovnikoff se mit à réfléchir à l'humiliation que représentait la recherche d'un emploi. Ce processus dégradant par lequel il devait passer pour espérer – espérer seulement – obtenir une place le répugnait. Le deuxième test avait comme avili Bobovnikoff ; pourtant, il le savait, il ne reviendrait plus en arrière et se soumettrait jusqu'au bout à la volonté de la Société des postes. Sa nature, la situation, tout l'y inclinait.

Quand la jeune femme réapparut à l'entrée du vestiaire, les postulants se levèrent d'un bond, prêts à la suivre jusqu'au lieu de la troisième épreuve. Elle les invita plutôt à patienter, leur expliquant qu'ils seraient convoqués un à un. Tout le monde se rassit. Elle désigna alors le premier candidat et l'emmena hors du vestiaire.

Bobovnikoff, qui ignorait comme les autres ce qui l'attendait, fut appelé le cinquième. La jeune femme et lui longèrent de nouveau le très large et long corridor, mais cette fois-ci dans sa section la plus mystérieuse, les dizaines de portes qu'ils dépassèrent étant closes. Bientôt, Bobovnikoff fut introduit dans une salle de conférences où deux autres personnes, un homme et une femme d'une cinquantaine d'années, l'accueillirent avec bienveillance.

La surprise des tests éliminatoires lui avait presque fait oublier l'entrevue en vue de laquelle il s'était présenté à la Société des postes le matin même. Il n'y songeait plus. Ainsi, le troisième test n'en était pas vraiment un – ou plutôt si, et le plus difficile de tous aux yeux de Bobovnikoff, qui avait toujours redouté ce genre d'épreuve. Il estimait s'en sortir médiocrement à l'oral, les mots lui venant de manière hésitante et souvent mal à propos.

On engagea l'entretien sur le ton de la conversation. Bobovnikoff conserva toutefois une attitude de réserve, soupçonnant dans l'apparence de cordialité des trois examinateurs un piège destiné à lui faire baisser la garde pour mieux le soumettre par la suite. La grande table de verre qui le séparait d'eux ainsi que la froide atmosphère de la salle ne favorisaient d'ailleurs pas un tel rapprochement. On comprit sa méfiance. On l'interrogea plus directement.

Les premières questions portèrent sur sa personne. On voulut connaître le motif de sa candidature, le détail de son expérience de travail, la nature de ses champs d'intérêt, l'inventaire de ses forces et faiblesses. Manœuvrant entre vérité et approximation, Bobovnikoff chercha à peindre de lui-même un portrait harmonieux qui ferait l'économie des petits revers de son existence. Cela ne se passa pas trop mal. Il avait un peu l'impression de se répéter, du reste : le curriculum vitæ et la lettre de présentation qu'il avait envoyés à la Société – et que les examinateurs consultaient en l'écoutant – traçaient déjà les grandes lignes de son parcours.

L'entrevue se corsa lorsque la jeune femme aborda le contexte spécifique du Centre des envois non distribuables. C'était là, dans ce Centre, qu'on souhaitait pourvoir un poste qui s'était récemment libéré. En vérité, Bobovnikoff ignorait tout de ce service, dont il n'avait jamais entendu parler. À sa souvenance, l'annonce publiée dans le bulletin hebdomadaire de la Ville n'en faisait pas mention. Voyant qu'il ne réagissait pas, on lui parla du fonctionnement de l'endroit, de l'équipe, des défis qui l'attendaient. On évoqua la vie en communauté, soulignant au passage l'importance d'une bonne intégration à sa dynamique (la question de l'intégration semblait préoccuper les examinateurs tout particulièrement). Bobovnikoff était-il sociable ? On chercha à savoir comment il réagirait dans tel ou tel cas de figure. Il bafouilla des réponses confuses, peu convaincantes et dont il ressortait, en somme – sa franchise l'emportant sur la ruse –, qu'il souffrait d'une trop grande proximité des autres êtres humains et préférait la solitude.

Cette révélation coupa net l'entretien. Du moins, c'est ainsi que Bobovnikoff interpréta le fait que, déjà, on s'était levé pour lui tendre la main et lui souhaiter bonne chance. Il s'en voulut de n'avoir pas tenu sa langue.

Tandis que la jeune femme le reconduisait à la sortie en réempruntant le corridor en sens inverse – passant de nouveau devant les portes closes, la salle de jeu, la cafétéria, le dortoir, puis les bureaux désormais vides –, Bobovnikoff se reconstruisait une fierté en se persuadant qu'il avait eu raison de parler comme il l'avait fait, bien que cela ait été malgré lui. Après tout, se disait-il, travailler à la Société des postes n'était pas forcément une chose enviable. La vie de bureau y paraissait sinistre, et la compagnie ininterrompue des autres employés était sans doute pénible. Remuer des papiers toute la journée ? Manger, dormir avec des étrangers ? Non, décidément, il valait mieux rester fidèle à soi que se vendre à un tel employeur !

Dans le hall, la jeune femme le congédia en lui disant qu'il serait informé du résultat du concours en temps et lieu, qu'il soit choisi ou non : il ne servait à rien de téléphoner.

C'était tout.

Dehors, Henri Bobovnikoff erra longtemps dans les galeries innombrables et sales de la ville, s'efforçant en vain de goûter sa liberté retrouvée. Plein d'une mélancolie qu'il n'arrivait pas à chasser, il se résigna à rentrer chez lui.

3

Allongé sur son lit, Bruno Novoselic attendait que le chef d'équipe sonne le réveil. Il ne dormait plus depuis plusieurs heures. Il écoutait les bruits de la ville qui lui parvenaient du dehors, par la fenêtre entrouverte, des bruits de klaxons et de pneus qui s'étaient amplifiés avec le lever du soleil. Le vacarme de la rue, de l'activité quotidienne qui reprenait, par le contraste qu'il offrait avec le silence de l'hôtel, rappelait à Novoselic qu'il était en vacances.

Dans le dortoir, où flottait une moiteur étouffante, les corps commençaient à s'agiter. Novoselic sentait que son collègue, au-dessous, se retournait de plus en plus souvent ; chaque fois, cela faisait trembler les lits superposés, dont on entendait couiner les montants en fer.

Novoselic étira le bras pour toucher le plafond. Entre des taches de moisissure, des lézardes y dessinaient comme un paysage de désert craquelé. Il détacha un morceau de peinture qui s'écaillait et le laissa tomber mollement sur le sol, deux mètres plus bas.

Il n'était pas pressé que la journée débute. Il aimait cette période de flottement qui précédait le réveil du groupe ; elle lui donnait l'impression d'un sursis avant l'épreuve éreintante des obligations touristiques. Bientôt, le chef d'équipe, qui dormait dans une chambre adjacente, viendrait annoncer le programme de la matinée.

Une semaine avait passé depuis leur arrivée. Une autre encore, et ils rentreraient au Centre. Déjà ! songeait Novoselic, que la perspective du retour au travail accablait d'autant plus que ses trop courtes vacances le décevaient terriblement. Pour son premier voyage à l'étranger, pour cette sortie initiatique hors de l'île, il avait espéré mieux que le circuit sans imagination qu'on avait organisé pour lui et ses collègues sans les consulter.

Novoselic s'était pris à rêver de quitter le Centre et de voir la ville étrangère dès son embauche à la Société des postes. Il avait dû patienter cinq ans avant de recevoir l'autorisation de ce voyage à l'extérieur de l'île, privilège accordé aux très rares employés dont le rendement exceptionnel pouvait justifier une absence de deux semaines. Avaient alors suivi trois mois d'acclimatation à la lumière du soleil, période pendant laquelle Novoselic s'était soumis à des séances d'irradiation dans un caisson spécial destiné d'ordinaire aux futurs courriers de surface.

Le voyage avait duré quinze heures. Guidés par leur chef, les dix employés exemplaires avaient marché pendant des kilomètres dans le labyrinthe des tunnels avant de déboucher sur une plage, de monter dans un sous-marin et de traverser la mer. Les tunnels, une plage, un sous-marin, la mer : à eux tous, qui goûtaient la vie du dehors pour la première fois, cette expédition avait paru extraordinaire. L'image du ciel intouchable, si haut, si profond au-dessus de leur tête, les avait pénétrés comme un alcool fort. Depuis, ils avançaient dans la ville en titubant, ivres d'espace et d'air frais, désorientés par l'infini, aveuglés par la lumière éclatante des choses.

Pour Bruno Novoselic, toutefois, l'ivresse avait vite tourné à la nausée. L'émerveillement des premières heures avait cédé à la fatigue et à l'ennui. Les quartiers pittoresques, les musées d'art moderne, les monuments historiques, Novoselic n'y trouvait déjà plus d'intérêt. Il lui semblait qu'une inspiration générale manquait à ce voyage : de l'inattendu, de l'aventure (en ce sens, les tunnels, le sous-marin et la mer constituaient à ses yeux des promesses non tenues). Il en avait assez de marcher dans les rues animées, du matin jusqu'au soir, conformément au programme surchargé que les autorités du Centre avaient élaboré. Était-ce donc cela, voyager ? S'épuiser à courir d'un lieu à un autre pour confirmer la réalité des images reproduites dans un guide qu'on connaissait par cœur ? Novoselic supportait mal autant d'agitation.

Une petite semaine avait passé depuis leur arrivée. Une autre encore, et tout le monde replongerait dans la poussière des papiers.

De haut de son lit, Novoselic observait le dortoir qui s'animait. Le chef venait d'y apparaître pour informer les employés que la matinée serait consacrée à la visite des égouts de la ville, un chef-d'œuvre d'ingénierie.

Pour une énième fois depuis leur départ, Novoselic pensa à la vie de bureau qui continuait sans eux, là-bas, au loin, et s'étonna que le Centre des envois non distribuables puisse fonctionner en leur absence. Leur rôle était-il donc si peu déterminant ? Leur apport à l'institution, si négligeable ? Ce n'était certainement pas le nouveau, un certain Bobovnikoff, qui assurerait correctement le fonctionnement du service : tout juste engagé, encore ahuri par sa nomination, il ne connaissait rien aux procédures en usage. Non, à l'évidence, personne n'accomplirait leurs tâches à leur place ; le travail s'accumulerait et, à leur retour, il leur faudrait redoubler d'ardeur pour combler le retard pris pendant les vacances.

Cette pensée désagréable s'était insinuée en Novoselic et ne le quittait plus. Il fit sa toilette et alla déjeuner dans le hall de l'hôtel, où l'on servait des muffins secs et du café tiède. Il remâcha ses soucis dans son coin, à l'écart du groupe. Mais pourquoi n'arrivait-il pas à jouir du moment présent ? à en percevoir la saveur ? Autour de lui, on paraissait détendu, on paraissait s'amuser. Tout le monde était-il donc heureux, niaisement heureux d'être en vacances ? Cette absence de perspective déconcertait Novoselic, pour qui l'oasis des vacances mettait surtout en relief l'étendue du désert qu'était le reste de l'année. Était-ce donc vivre que de se dédier presque exclusivement au travail ? Deux petites semaines suffisaient-elles à un homme ? On ne s'appartenait pas.

Derrière sa façade de travailleur modèle, Novoselic était rongé d'une envie secrète d'en finir ; il rêvait de démissionner et de disparaître à jamais. Le soir, juste avant de s'endormir, il échafaudait des projets de fuite hors de l'île, loin du Centre et de la vie souterraine. C'étaient des chimères extravagantes, il le savait bien : on ne démissionnait pas, on ne quittait pas l'île. Cependant, il avait besoin de croire à la possibilité d'une issue – et cela d'autant plus que, le voyage n'ayant pas apaisé son désir de grand air, Novoselic se sentait enchaîné plus que jamais à sa situation.

L'âme en peine, il rejoignit ses collègues à l'extérieur de l'hôtel. Le chef annonça le départ. Tout le monde se mit en marche.

Les rues étaient pleines de gens qui vivaient. Pour Novoselic, qui s'en étonnait chaque matin, il s'agissait d'une espèce de révélation : toute cette activité qu'il traversait ne constituait pas seulement un décor, un arrière-plan, une image de carte postale, mais la vie quotidienne, la vie effective de millions de personnes. Et pour mieux comprendre cette vie qui lui semblait plus libre parce qu'elle n'était pas la sienne, Novoselic s'efforçait de modifier son regard de touriste pour l'accorder avec celui de l'indigène : il imaginait qu'il habitait tel immeuble modeste, qu'il avait ses habitudes dans tel petit café, qu'il fréquentait telle librairie de quartier... La ville prenait alors un sens nouveau, plus vrai peut-être.

Ce jeu de projections le laissait néanmoins

insatisfait ; cela ne suffisait pas. Pour apprécier toutes les subtilités du lieu, Novoselic comprenait qu'il aurait fallu s'y installer à demeure – ce qui n'était évidemment pas possible.

Le groupe s'était arrêté quelque part dans un parc, au-dessus d'un trou à l'intérieur duquel plongeait un étroit escalier en colimaçon, et trépignait sur place dans un état d'extrême excitation. À quelques mètres de là, une petite construction barricadée avait autrefois, selon toute apparence, fait office de guichet. Une affiche punaisée sur la porte indiquait que l'accès au Musée des égouts était désormais libre.

Contaminé par l'enthousiasme fiévreux de ses collègues, Novoselic résolut de se ressaisir. Lui aussi s'amuserait ; lui aussi tirerait tout le suc de la belle et riche journée qui s'amorçait. Plus question de ressasser des idées noires ; il profiterait de ses vacances. Ah, se jeter au plus vite dans ce gouffre ! S'enfouir sous terre ! Visiter ce musée ! Voir ces fameux égouts !

Le chef enjamba un cordon de sécurité et s'engagea dans le trou. Les employés se pressèrent à sa suite et descendirent nerveusement en se tenant à la rampe, l'escalier de fer rouillé tremblant sous leur poids.

En bas, une puanteur atroce empoisonnait

l'air. Ils avancèrent en silence, à petits pas, sur une surface grillagée au-dessous de laquelle filait une eau noire chargée d'immondices. Des toiles d'araignées s'emmêlaient dans leurs cheveux. Les parois du conduit suintaient. Quelques ampoules, suspendues çà et là, éclairaient faiblement le chemin.

Bientôt, les visiteurs débouchèrent dans une galerie aménagée où des maquettes et de grands panneaux illustrés retraçaient l'histoire des canalisations souterraines de la ville. Un peu plus loin, sur un écran de télévision, un film d'une dizaine de minutes diffusé en boucle présentait le travail des égoutiers. On se dispersa. Novoselic pénétra dans une galerie secondaire où étaient exposés divers engins, dont une ancienne pompe de relevage des eaux et un wagon-vanne servant au curage des égouts.

À en juger par les panneaux jaunis, presque illisibles, par la bande vidéo usée, par l'équipement désuet, l'exposition devait dater de plusieurs années et avoir été sinon oubliée, du moins abandonnée – peut-être à juste titre, d'ailleurs, se dit Novoselic, car qui donc souhaitait visiter cet endroit glauque ? On n'avait pas cru à propos, sans doute, de le rénover.

Novoselic fit le tour des installations sans

réussir à s'y intéresser, s'attardant à quantité d'affichettes explicatives dont il ne retenait rien (noms, dates, tout s'embrouillait dans son esprit). Son semblant d'enthousiasme se dissipa. Il revint sur ses pas, reconsidéra un ou deux panneaux, puis, lassé, s'éloigna insensiblement du groupe pour explorer les recoins innombrables du musée.

Il marcha au hasard, puis à l'aveuglette, presque dans le noir, s'appuyant à des rambardes instables et à des parois visqueuses. La rumeur du groupe s'éteignit peu à peu derrière lui, couverte par le grondement de plus en plus puissant des eaux. Il longea des passerelles, traversa des plates-formes, découvrit des alcôves cachées... De longues minutes s'écoulèrent. Il s'immobilisa. Les rambardes de sécurité avaient disparu. Où avait-il abouti ? Il prit peur et se demanda s'il n'avait pas dépassé les limites du musée en franchissant quelque ligne de démarcation imperceptible. Il fit demi-tour.

Il ne trouva personne dans la galerie principale ni dans la galerie secondaire. Le groupe avait dû remonter à la surface pendant son absence. Novoselic gravit l'escalier en colimaçon. Il redoutait la réaction de son chef quand celui-ci le verrait réapparaître. Son escapade lui vaudrait – il en était sûr – une sévère réprimande.

Cependant, en s'extirpant du trou, Novoselic constata avec stupéfaction que la place du musée était déserte. Il ne sut que faire. Attendre ici qu'on revienne le chercher ? Marcher seul jusqu'à l'hôtel ? Il en voulut aux autorités du Centre de n'avoir rien prévu en pareille circonstance. Quelle conduite fallait-il adopter ? Aucune directive ne le précisait. Novoselic n'avait en tête qu'une suite d'interdictions s'appliquant mal à la situation actuelle. Laissé à lui-même, il se trouvait absolument désemparé.

Une heure, deux heures passèrent. Novoselic demeurait immobile à côté du trou, comme enchaîné au vide. Effrayé à l'idée de prendre une initiative qui pouvait se retourner contre lui, il priait le ciel qu'on remarque au plus vite son absence. Ses collègues ne s'apercevaient-ils pas que le bon Bruno Novoselic manquait à l'appel ?

L'avant-midi touchait à sa fin. De lourds nuages s'étaient amoncelés au-dessus de la ville et menaçaient désormais d'éclater. Le vent se leva. Tout s'assombrit. Soudain, la pluie se mit à tomber en rafales, et Novoselic décida de s'abriter dans l'ancien guichet du musée. À l'intérieur, il trouva une petite table et une chaise bancale recouvertes de poussière. Il s'installa à la fenêtre.

Aussitôt, il se sentit mieux. La cabane avait sur lui l'effet d'une coquille protectrice.

L'orage s'intensifia. Par la fenêtre, Novoselic guettait au loin le retour improbable de son équipe. Il n'était plus aussi inquiet. Il avait l'impression de se solidifier progressivement, de minute en minute, dans la solitude.

Vers la fin de l'après-midi, il vit apparaître une silhouette dans le sentier qui menait au musée. Il reconnut son chef et ses collègues qui trottaient dans la pluie. Ils allèrent se masser autour du trou, et le chef, penché au-dessus du vide, cria trois fois le nom de Novoselic.

Mais Novoselic ne réagit pas. Caché dans la cabane, il n'osa pas se manifester. Une force mystérieuse, intérieure, lointaine, l'en retint. À travers la fenêtre embuée, il regarda son équipe descendre dans le musée.

Alors il comprit qu'il pouvait s'enfuir et disparaître. Il lui suffisait de quitter la cabane et de s'enfoncer dans la ville. Son rêve d'une existence refaite à neuf, ailleurs, loin du Centre, hors de l'île, était possible. Il y avait une issue.

Toute la journée, il ne l'avait pas vu, figé sur place par de tristes réflexes conditionnés par la peur.

C'était le moment ou jamais de céder à l'appel de l'étranger. Novoselic se leva et sortit de la cabane. La pluie avait cessé. Il traversa le parc sans se retourner.

Arrivé à la rue, il s'arrêta net. Quelle folie allait-il commettre? Mais il chassa ce dernier doute de son esprit et se fondit dans la foule.

Il entrait dans un véritable état de vacance.

Déménagement

Le jour de mon déménagement, je me suis levé à l'aurore et je suis allé me poster à la fenêtre de mon bureau. J'ai observé le soleil qui inondait progressivement le ciel, la rue, mon visage. Une vie nouvelle commençait pour moi, dont j'étais curieux de voir se préciser la trame.

Quatre mois plus tôt, un dimanche, Catherine m'avait informé de sa décision de me quitter. J'avais éprouvé un étonnement considérable à cette annonce de notre rupture, me demandant ce qui justifiait un tel bouleversement de notre existence. La question, toutefois, ne parvenant pas à s'exprimer, était restée en suspens. Je n'avais su qu'acquiescer à Catherine, avant de me replier dans un silence confus. Les semaines suivantes, après son départ, ayant comme perdu toute aptitude au travail, j'avais glissé dans un désœuvrement complet. Paralysé par l'atmosphère de l'appartement, tout empreinte encore de la présence de Catherine, j'avais fini par conclure à la nécessité d'un déménagement.

À six heures, le camion des déménageurs a surgi de la ruelle, bringuebalant, dans un nuage de poussière. Je l'ai regardé approcher, puis ralentir et se ranger à reculons devant chez moi, obliquement, entre deux automobiles stationnées. La manœuvre exécutée, le moteur éteint, deux femmes se sont extirpées de la cabine.

J'ignorais qu'il existait des déménageuses.

Leurs crânes rasés, leurs muscles saillants, leurs bracelets cloutés, leurs tatouages (des squelettes, des serpents, des dragons) m'ont impressionné. J'ai hésité à descendre. Elles ont déverrouillé et soulevé le hayon, dégagé une rampe amovible, sont montées dans la caisse et en sont ressorties avec un diable, des couvertures et des courroies, qu'elles ont écartés sur le trottoir. Elles ont ensuite emprunté l'escalier extérieur, dissimulé en partie par le balcon, et je les ai perdues de vue.

La sonnette a retenti. Je n'ai pas bougé.

Elle a retenti de nouveau, suivie de l'écho saisissant d'une série de coups frappés à la porte. J'ai tressailli. Les deux femmes sont réapparues dans la rue et, la main en visière au-dessus des yeux, ont levé la tête dans ma direction. Je me suis déplacé discrètement hors du cadre de la fenêtre. Quelques secondes se sont écoulées, puis il y a eu un appel de klaxon, répété quatre ou cinq fois. Jetant un regard de biais à l'extérieur, j'ai remarqué qu'un attroupement se formait devant l'immeuble.

J'ai quitté mon bureau et je suis allé me réfugier dans la chambre. Il me semblait que je n'avais plus le courage, maintenant, de déménager. Assis sur le bord du lit, j'ai tâché de me déterminer à descendre pour en aviser les deux femmes.

La sonnerie du téléphone a interrompu mon effort. Je l'ai laissée résonner un moment, puis, brusquement, inconsidérément, j'ai tendu le bras vers l'appareil et soulevé le combiné. C'était l'une des déménageuses, bien sûr, qui me faisait savoir, sur un ton mêlé de surprise et d'irritation, qu'elles attendaient dans la rue. Il aurait fallu répondre que ce n'était plus nécessaire, mais, rappelé soudain à la réalité de ce que les circonstances commandaient, gêné de m'être jusque-là dérobé, j'ai plutôt demandé qu'on m'excuse et j'ai aussitôt ajouté que j'arrivais, que j'ouvrais.

J'ai dévalé l'escalier intérieur. Mon comportement des minutes précédentes m'était devenu incompréhensible. J'ai ouvert la porte aux deux déménageuses et les ai invitées à me suivre. Remonté avec elles au troisième étage, je me suis effacé sur le palier pour les laisser entrer dans l'appartement. Plus grandes et plus larges d'épaules que moi, d'une virilité formidable, elles affichaient un air mauvais, hostile. Sans un mot ni un regard, elles se sont engagées dans le couloir, qu'elles ont longé lourdement jusqu'à son extrémité en jetant un coup d'œil dans chaque pièce. Je leur ai emboîté le pas en silence, et nous avons bientôt été dans mon bureau.

Elles se sont retournées, apparemment contrariées.

Qu'y a-t-il ? ai-je dit. Tes affaires, a répondu l'une. Quoi, mes affaires ? ai-je dit. Tu ne les as pas emballées, a précisé l'autre.

Distrait de leur propos par leur intolérable tutoiement, il m'a fallu quelques secondes pour en enregistrer la signification. L'évidence s'est alors imposée à mon esprit. Il aurait convenu, en effet, ai-je pensé, d'encartonner mes biens en prévision du déménagement. Comment avais-je pu négliger pareil aspect de l'opération ? Je me suis touché le front. J'ai reculé. Je me suis appuyé à une chaise. Il régnait partout un désordre épouvantable.

J'ai ensuite vu que Paul, mon voisin, sans doute alerté par le bruit, avait passé la tête dans l'entrebâillement de la porte. Vous déménagez ? m'a-t-il lancé de l'autre bout de couloir. Oh, ai-je dit en faisant un geste. Il n'a pas emballé ses affaires, est intervenue une déménageuse. Il n'est pas prêt, a ajouté l'autre. Paul a franchi le seuil et avancé vers nous, pieds nus, dans son pyjama bleu à rayures, une tasse de café fumant à la main.

J'ai décidé de m'asseoir pour réfléchir à la situation – ou pour ne plus y réfléchir, ce n'était pas clair. D'autres têtes, que je ne reconnaissais pas, sont apparues dans l'entrebâillement de la porte. Un murmure croissant de voix s'élevait maintenant de l'escalier.

La police ! a crié quelqu'un.

Je me suis redressé et j'ai constaté par la fenêtre que deux voitures de police, stationnées à une cinquantaine de mètres de distance, barraient la rue devant l'immeuble. L'attroupement de tout à l'heure était devenu une foule nombreuse et grouillante. Effrayé, je me suis précipité dans l'escalier, qu'une multitude de curieux bouchonnaient, et j'ai ordonné qu'on s'écarte en jouant des coudes. Dehors, l'encombrement du balcon était tel que j'ai cru que la structure de fer n'y résisterait pas. De peine et de misère, je me suis frayé un passage jusqu'à la rue.

Quatre hommes en uniforme étaient regroupés à l'écart, que je me suis empressé d'aller rejoindre. Si vous pouviez disperser toutes ces personnes, ai-je dit en désignant la foule d'un large mouvement du bras. Qui êtes-vous ? a interrogé l'un des policiers. J'habite dans cet immeuble, ai-je répondu. Hum, a fait l'homme. Et qui sont ces gens ? Vous donnez une fête ? Non, ai-je dit, je dois déména...

Un grand fracas m'a interrompu. Je me suis retourné. Mon réfrigérateur gisait sur le trottoir, sa porte à moitié disloquée, parmi des débris de verre et de plastique. J'ai levé les yeux vers le balcon, où d'autres de mes possessions commençaient à passer de main en main au-dessus des têtes, suivant une longue chaîne humaine improvisée. J'ai guetté mon four à micro-ondes qui était transporté comme par une vague jusque dans le camion, au fond duquel on est allé le ranger, lui, intact.

Renonçant au secours incertain des policiers, j'ai de nouveau fendu la foule et je suis remonté à l'appartement, évitant çà et là les objets qui continuaient de s'en déverser. Je ne savais trop que penser de cette initiative qu'on avait prise sans me consulter d'entamer le chargement du camion. Cela me semblait un peu insolite. N'étais-je pas concerné par l'affaire ? J'ai eu la surprise, en outre, arrivé en haut, de constater qu'on avait envahi mon appartement. L'endroit était occupé partout par des gens qui soulevaient des meubles, qui vidaient des placards, qui remplissaient des boîtes.

J'ai retrouvé Paul dans mon bureau. Il mettait de l'ordre sur ma table, n'hésitant pas à jeter des papiers qu'il jugeait sans importance. Je lui ai demandé de ne toucher à rien. Il m'a répondu en souriant que cela lui faisait plaisir, de me rendre service, que c'était, au demeurant, pour lui, en tant que voisin, la moindre des choses. Il a précisé que je ne devais pas m'inquiéter, qu'il agissait avec intelligence, qu'il procédait avec méthode et que son tri reposait sur un examen attentif de mes brouillons. J'ai répliqué brusquement que son tri était inutile, qu'il fallait tout conserver. Il m'a dévisagé, l'œil rond, comme s'il me découvrait fou.

On m'appelait. J'ai quitté Paul sans une parole de plus et traversé l'appartement. J'ai compris que plusieurs personnes étaient engagées comme lui dans un travail de tri. Au salon, grimpés sur des chaises, trois enfants retiraient des livres de ma bibliothèque et les classaient dans des caisses selon des critères mystérieux. Je me suis approché et je leur ai dit qu'il fallait tout emballer, sans exception, en préservant l'ordre alphabétique que j'avais privilégié. Ils m'ont considéré avec étonnement. L'un d'entre eux m'a expliqué qu'on leur avait donné d'autres instructions.

Je n'ai pas insisté, attiré par des bruits de casseroles provenant de la cuisine.

Il y avait là cinq ou six femmes qui enveloppaient ma vaisselle et la mettaient dans des cartons, tandis qu'une autre vidait de mon garde-manger ce qui y restait de boîtes, de bouteilles, de bocaux, de sacs et de sachets. Catherine partie, j'avais vécu des provisions qu'elle m'avait abandonnées. Elles se réduisaient désormais à bien peu.

J'allais demander aux femmes de tout arrêter, mais leur travail était déjà si avancé que j'y ai renoncé.

Je suis passé dans la salle de bains, où l'on procédait à un grand nettoyage de la pièce. Elle m'a paru étrangement vaste. On avait arraché le rideau de douche et rassemblé mes effets personnels à l'écart. Frappé par l'absence des tubes, des pots, des flacons de Catherine et oubliant un instant qu'elle m'avait quitté (ses crèmes innombrables me manquaient soudain inexplicablement), j'ai voulu accuser les étrangers présents dans la salle de bains d'avoir jeté ses affaires – mais j'entendais de nouveau qu'on m'appelait et, saisi par la voix autoritaire des déménageuses, je me suis plutôt dirigé vers la chambre.

Je suis entré dans la pièce alors qu'elles saisissaient mon matelas, le soulevaient et cherchaient à passer avec lui dans le couloir. Je me suis écarté. Attends-nous donc dans un coin, m'a dit l'une avec exaspération. Tu déranges tout le monde, a ajouté l'autre. Et elles ont disparu dans l'escalier sans me laisser le temps de réagir. Les mots, d'ailleurs, ne me venaient pas.

Cependant, l'activité de la chambre me détournait de la pensée des deux déménageuses, dont je ne savais plus si je devais les tenir pour responsables du chaos extraordinaire de l'appartement.

Cette activité était plus importante que partout ailleurs. Elle se concentrait autour d'un grand sac à ordures qui, tel un trou noir aspirant la matière environnante, engloutissait les choses qu'on y jetait indifféremment, extraites d'un tiroir (bas troués, caleçons avachis), d'une boîte à chaussures (photos, lettres, billets de Catherine) ou d'un vieux coffre (cahiers d'écolier, notes de cours, copies de devoirs et d'examens, bulletins, diplômes). Alarmé par la perspective de la perte irrémédiable des souvenirs de Catherine et des documents relatifs à mes années d'études, j'ai senti l'urgence d'une action rapide et vigoureuse – et j'ai esquissé un geste.

La chambre envahie soudain par une douzaine d'hommes affairés à en déménager les meubles, le mouvement autour de moi s'est accéléré, amplifié. J'ai eu l'impression qu'un tourbillon m'emportait. J'ai essayé en vain de résister à la liquidation de mon passé. Je suis retourné dans les autres pièces, je suis allé d'un groupe à un autre, j'ai arpenté fiévreusement l'appartement sans réussir à me faire entendre. On ne m'écoutait pas. Je luttais contre une force diffuse et sourde dont les éléments, si j'arrivais à capter leur attention, paraissaient ahuris par mes requêtes, par ma présence même. On se remettait à travailler. On continuait de travailler avec célérité et méthode, comme suivant un plan secret dont j'étais exclu.

Tandis qu'on vidait l'appartement, j'ai remarqué qu'on avait commencé à repeindre les murs.

Ignoré, tenu à distance, j'ai fini par m'arrêter, puis par m'asseoir dans un renfoncement du couloir. J'ai protesté de loin lorsqu'on a emporté le sac à ordures, mais je me suis demandé ensuite si j'avais vraiment parlé. Je n'avais pas bougé et me sentais céder à la somnolence, j'éprouvais dans ma veille d'étonnants décalages, je percevais comme à rebours sons, formes et mouvements.

Ma surveillance s'est relâchée, il me semblait du reste que j'avais droit à un peu de repos.

Je n'ai pas eu conscience de l'écoulement des heures. Bientôt, le soir m'a surpris.

Je me suis levé et j'ai avancé dans l'appartement. Il n'y avait plus rien ni personne, nulle part, dans aucune pièce, et l'endroit baignait dans l'odeur de la peinture fraîche. Le parquet craquait sous mon pas. Je marchais dans le creux, dans l'écho. C'était sans doute le moment de m'en aller, moi aussi.

J'ai descendu lentement l'escalier intérieur.

Arrivé dehors, sur le balcon, je me suis immobilisé. Une grande fête avait lieu dans la rue, d'où a soudain monté une immense clameur. Des cris, des applaudissements ont éclaté. J'ai regardé derrière moi, mais il n'y avait personne. Encadrée par deux larges tentes abritant des tables de pique-nique et des barbecues, la foule de tout le quartier réuni, tournée dans ma direction, me saluait. J'ai reconnu mon voisinage. J'ai reconnu Paul, dans son pyjama, près d'un jeu gonflable, concentré sur une saucisse qu'il grignotait sur un bâton. De la ruelle, où le camion avait été déplacé, les deux déménageuses me faisaient signe de la main, l'air de m'attendre. J'ai enfin avisé, suspendue à l'immeuble d'en face, une banderole dont l'inscription m'était destinée : « Au revoir, André Jaune ! »

À l'instant où, d'un pas incertain, me croyant prêt à partir, je m'en allais descendre – puis traverser la fête et rejoindre les déménageuses –, un feu d'artifice a jailli dans le ciel en figures de gerbes multicolores et de spirales tournoyantes, s'évanouissant aussitôt qu'elles étaient esquissées, qui a ébloui la foule et m'a retenu sur le balcon, les yeux levés, le cœur battant, dans un état mêlé d'enchantement et de sourde inquiétude.

Table des matières

Crédits et remerciements

Les Éditions du Boréal reconnaissent l'aide financière du gouvernement du Canada par l'entremise du Fonds du livre du Canada (FLC) pour leurs activités d'édition et remercient le Conseil des arts du Canada pour son soutien financier.

Les Éditions du Boréal sont inscrites au Programme d'aide aux entreprises du livre et de l'édition spécialisée de la SODEC et bénéficient du programme de crédit d'impôt pour l'édition de livres du gouvernement du Québec.

Couverture : Zuboff, iStockphoto

EXTRAIT DU CATALOGUE

Gil Adamson
À l'aide, Jacques Cousteau
La Veuve
Gilles Archambault
À voix basse
Les Choses d'un jour
Comme une panthère noire
Courir à sa perte
De l'autre côté du pont
De si douces dérives
Enfances lointaines
La Fleur aux dents
La Fuite immobile
Lorsque le cœur est sombre
Les Maladresses du cœur
Nous étions jeunes encore
L'Obsédante Obèse et autres agressions
L'Ombre légère
Parlons de moi
Les Pins parasols
Qui de nous deux?
Les Rives prochaines
Stupeurs et autres écrits
Le Tendre Matin
Tu ne me dis jamais que je suis belle
La Vie à trois
Le Voyageur distrait
Un après-midi de septembre
Une suprême discrétion
Un homme plein d'enfance
Un promeneur en novembre
Margaret Atwood
Comptes et Légendes
Cibles mouvantes
L'Odyssée de Pénélope
Edem Awumey
Explication de la nuit
Les Pieds sales
Rose déluge
Nadine Bismuth
Êtes-vous mariée à un psychopathe?
Les gens fidèles ne font pas les nouvelles
Scrapbook
Neil Bissoondath
À l'aube de lendemains précaires
Arracher les montagnes
Cartes postales de l'enfer
La Clameur des ténèbres
Tous ces mondes en elle
Un baume pour le cœur
Marie-Claire Blais
Augustino et le chœur de la destruction
Dans la foudre et la lumière
Le Jeune Homme sans avenir
Mai au bal des prédateurs
Naissance de Rebecca à l'ère des tourments
Noces à midi au-dessus de l'abîme
Soifs
Une saison dans la vie d'Emmanuel
Gérard Bouchard
Mistouk
Pikauba
Uashat
Guillaume Bourque
Jérôme Borromée
André Carpentier
Dylanne et moi
Extraits de cafés
Gésu Retard
Mendiant de l'infini
Ruelles, jours ouvrables
Nicolas Charette
Chambres noires
Jour de chance
Jean-François Chassay
L'Angle mort
Laisse
Sous pression
Les Taches solaires
Ying Chen
Immobile
Le Champ dans la mer
Espèces
Le Mangeur
Querelle d'un squelette avec son double
La rive est loin
Un enfant à ma porte
Ook Chung
Contes butô

L'Expérience interdite
La Trilogie coréenne
Gil Courtemanche
Je ne veux pas mourir seul
Le Monde, le lézard et moi
Un dimanche à la piscine à Kigali
Une belle mort
Michael Crummey
Du ventre de la baleine
France Daigle
Petites difficultés d'existence
Pour sûr
Un fin passage
Francine D'Amour
Écrire comme un chat
Pour de vrai, pour de faux
Presque rien
Le Retour d'Afrique
Michael Delisle
Tiroir N° 24
Louise Desjardins
Cœurs braisés
Le Fils du Che
Rapide-Danseur
So long
Christiane Duchesne
L'Homme des silences
L'Île au piano
Mensonges
Marina Endicott
Charité bien ordonnée
Jacques Folch-Ribas
Les Pélicans de Géorgie
Paco
Richard Ford
Canada
Jonathan Franzen
Les Corrections
Freedom
Katia Gagnon
La Réparation
Madeleine Gagnon
Depuis toujours
Anne-Rose Gorroz
L'Homme ligoté
Agnès Gruda
Onze Petites Trahisons
Joanna Gruda
L'enfant qui savait parler la langue des chiens
Louis Hamelin
Betsi Larousse
La Constellation du Lynx
Le Joueur de flûte
Sauvages
Le Soleil des gouffres
Le Voyage en pot
Bruno Hébert
Alice court avec René
C'est pas moi, je le jure !
Suzanne Jacob
Amour, que veux-tu faire ?
Les Aventures de Pomme Douly
Fugueuses
Histoires de s'entendre
Parlez-moi d'amour
Un dé en bois de chêne
Wells
Nikos Kachtitsis
Le Héros de Gand
Emmanuel Kattan
Les Lignes de désir
Nous seuls
Le Portrait de la reine
Nicole Krauss
La Grande Maison
Marie Laberge
Adélaïde
Annabelle
La Cérémonie des anges
Florent
Gabrielle
Juillet
Le Poids des ombres
Quelques Adieux
Revenir de loin
Sans rien ni personne
Marie-Sissi Labrèche
Amour et autres violences
Borderline
La Brèche
La Lune dans un HLM
Dany Laferrière
L'Art presque perdu de ne rien faire
Chronique de la dérive douce
L'Énigme du retour
Je suis un écrivain japonais
Pays sans chapeau
Vers le sud
Robert Lalonde
C'est le cœur qui meurt en dernier
Des nouvelles d'amis très chers
Espèces en voie de disparition
Le Fou du père
Iotékha'
Le Monde sur le flanc de la truite
Monsieur Bovary ou mourir au théâtre
Où vont les sizerins flammés en été ?
Que vais-je devenir jusqu'à ce que je meure ?
Le Seul Instant
Un cœur rouge dans la glace
Un jardin entouré de murailles
Un jour le vieux hangar sera emporté par la débâcle
Le Vacarmeur
Nicolas Langelier
Réussir son hypermodernité et sauver le reste de sa vie en 25 étapes faciles

Monique LaRue
Copies conformes
De fil en aiguille
La Démarche du crabe
La Gloire de Cassiodore
L'Œil de Marquise

Rachel Leclerc
Le Chien d'ombre
Noces de sable
La Patience des fantômes
Ruelle Océan
Visions volées

André Major
À quoi ça rime?
L'Esprit vagabond
Histoires de déserteurs
La Vie provisoire

Gilles Marcotte
Une mission difficile
La Vie réelle
La Mort de Maurice Duplessis et autres nouvelles
Le Manuscrit Phaneuf

Yann Martel
Paul en Finlande

Colin McAdam
Fall

Maya Merrick
Sextant

Stéfani Meunier
Au bout du chemin
Ce n'est pas une façon de dire adieu
Et je te demanderai la mer
L'Étrangère
On ne rentre jamais à la maison

Hélène Monette
Le Blanc des yeux
Il y a quelqu'un?
Là où était ici
Plaisirs et paysages kitsch
Thérèse pour Joie et Orchestre
Un jardin dans la nuit
Unless

Caroline Montpetit
L'Enfant
Tomber du ciel

Lisa Moore
Février
Open

Alice Munro
Du côté de Castle Rock
Fugitives

Émile Ollivier
La Brûlerie

Véronique Papineau
Les Bonnes Personnes
Petites histoires avec un chat dedans (sauf une)

Alison Pick
L'Enfant du jeudi

Daniel Poliquin
L'Écureuil noir
L'Historien de rien
L'Homme de paille
La Kermesse

Monique Proulx
Les Aurores montréales
Champagne
Le cœur est un muscle involontaire
Homme invisible à la fenêtre

Pascale Quiviger
La Maison des temps rompus
Pages à brûler

Rober Racine
Le Cœur de Mattingly
L'Ombre de la Terre
Les Vautours de Barcelone

Yvon Rivard
Le Milieu du jour
Le Siècle de Jeanne
Les Silences du corbeau

Alain Roy
Le Grand Respir
L'Impudeur
Quoi mettre dans sa valise?

Lori Saint-Martin
Les Portes closes

Mauricio Segura
Bouche-à-bouche
Côte-des-Nègres
Eucalyptus

Alexandre Soublière
Charlotte before Christ

Gaétan Soucy
L'Acquittement
Catoblépas
Music-Hall!
La petite fille qui aimait trop les allumettes

Jeet Thayil
Narcopolis

Miriam Toews
Drôle de tendresse
Irma Voth
Jamais je ne t'oublierai
Les Troutman volants

Emmanuelle Tremblay
Je suis un thriller sentimental

Lise Tremblay
La Sœur de Judith

Guillaume Vigneault
Carnets de naufrage
Chercher le vent

Kathleen Winter
Annabel

Ce livre a été imprimé sur du papier 100 % postconsommation,
traité sans chlore, certifié ÉcoLogo
et fabriqué dans une usine fonctionnant au biogaz.

MISE EN PAGES ET TYPOGRAPHIE :
LES ÉDITIONS DU BORÉAL

ACHEVÉ D'IMPRIMER EN JANVIER 2014
SUR LES PRESSES DE L'IMPRIMERIE GAUVIN
À GATINEAU (QUÉBEC).